Jérôme Garcin

Le voyant

Postface inédite de l'auteur

Gallimard

Jérôme Garcin est né à Paris le 4 octobre 1956. Il dirige les pages culturelles de *L'Obs* et anime *Le masque et la plume* sur France Inter. Il est notamment l'auteur de *Pour Jean Prévost*, prix Médicis Essai 1994, *La chute de cheval*, prix Roger Nimier 1998, *Théâtre intime*, prix Essai France Télévisions 2003, *Olivier* et *Le voyant*, tous parus aux Éditions Gallimard. Il a reçu le prix Prince Pierre de Monaco 2008 et le Grand Prix Henri-Gal de l'Institut de France 2013 pour l'ensemble de son œuvre.

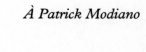

À Patrick Modiano

Œdipe ne commence à voir clair que quand il est aveugle.

JEAN COCTEAU

Je ne vous ai pas dit que j'avais vos yeux. J'ai dit que j'en avais d'autres.

JACQUES LUSSEYRAN

ET LA LUMIÈRE FUT

1

Rien, pas l'once d'une plainte, pas l'ombre d'un regret, pas trace d'une quelconque amertume, pas la moindre colère, pas non plus de protestation, et jamais de jalousie. Aucun sentiment bas, nulle révolte vaine. Au contraire, une paix avec soi-même, une harmonie avec le monde, une équanimité souterraine, un optimisme ravageur, une vaillance hors norme, une foi d'airain, et même une manière de gratitude pour le destin qui, en le privant de ses yeux, en lui ayant refusé le spectacle de la beauté à l'âge des premiers émerveillements, développa chez lui ce qu'il nommait le regard intérieur. Comme s'il évoquait une industrie secrète, une fabrique cachée, un atelier réservé à lui seul, il répétait que les « vrais yeux travaillent au-dedans de nous » et faisait entrer, dans sa propre caverne, la lumière du feu que Platon plaçait à l'extérieur, et en hauteur. La vérité était en lui-même ; dehors

13

n'était pour lui qu'une illusion – un trompe-l'œil.

De son handicap, il fit un privilège. Il en tira une fierté qui interdisait la charité et intimidait la compassion. Il y trouva comme un supplément de gravité, lui qui, dans *Le Puits ouvert*, un roman demeuré inédit, écrivait : « En se penchant sur mon berceau, il y a un cadeau que les bonnes fées ont oublié de me faire, c'est la frivolité. » Il lui arrivait de mépriser ceux qui, s'apitoyant sur son sort, se flattaient d'avoir un regard d'aigle et de tutoyer l'horizon. Toujours, il se moqua des gémissants et des vaniteux. Le mot qu'il détestait le plus et tenait pour un défaut, pour une démission, pour une lâcheté, c'était celui de « banalité ». Sa vie brève n'y tomba jamais. Elle fut une exception française.

2

J'ai découvert Jacques Lusseyran avec *Et la lumière fut*. Je me souviens très bien des émotions contradictoires que j'éprouvai à la lecture de ce témoignage magistral et capital. Le récit de ce héros, qu'aucun romancier n'aurait osé inventer, n'était-il pas trop exemplaire pour être vrai ? Et s'il était vrai, où donc cet homme avait-il trouvé la force surhumaine d'affronter, tête haute, de telles épreuves, de se dépasser sans cesse, de se survivre en rayonnant ? Ce livre, qui illustrait à la perfection le concept de résilience,

14

comment avait-il pu le rédiger sans le voir ?
(Mon étonnement vient de ce que je suis de
la vieille école. Il m'arrive souvent d'écrire à la
main ; j'aime tracer les mots sur des cahiers qua-
drillés, les remplacer ensuite par d'autres qui
attendent dans la marge, biffer, corriger, peau-
finer, imposer un rythme secret à ma partition,
ajouter des couleurs à mes crayonnés. Je ne suis
pas loin de croire que la phrase manuscrite commande la pensée, que le geste précède l'idée,
que le stylo impose son style et sa loi. Et je ne
commence vraiment à écrire qu'en me relisant,
qu'en regardant mon feuillet.) Avait-il lui-même
tapé à la machine ou plutôt dicté à une sténo ce
que j'avais la faculté de lire, les yeux ouverts,
dans un jardin du pays d'Auge traversé par un
ruisseau qui sentait l'herbe coupée, la menthe
fraîche et l'ail des ours, un jardin qui ouvrait
sur des perspectives – massifs anglais de rosiers,
de rhododendrons, de lilas, champs chahuteurs
de hauts maïs, colline boisée et alanguie – où
mon regard se posait, entre deux pages, comme
pour s'assurer de son acuité et bien mesurer son
empire provisoire ?

Je crois bien que, dans ma vie, je n'ai jamais
été si longtemps absorbé par un texte, m'arrêtant
à chaque phrase, la pesant comme une petite
miraculée, trouvant à chaque point-virgule, à
chaque parenthèse, à chaque exclamation, à
chaque alinéa, un sens et un pouvoir qui allaient
bien au-delà des règles typographiques et des
lois grammaticales. Tous ces mots, jaillis de la

nuit absolue, avaient un éclat incomparable, ils répandaient sur la page une lumière éblouissante, presque trop crue. À travers les phrases grégoriennes passaient des couleurs de vitraux sur lesquels tape, à midi, le soleil des dimanches chrétiens. Ajoutés les uns aux autres, les adjectifs en relief – il me semblait les toucher du doigt, comme s'ils étaient en braille – dessinaient une chaîne alpine, formaient une cordillère des Andes, inventaient des Rocheuses lexicales. Dieu que le blanc d'entre les lignes exhalait d'étranges et voluptueux parfums. C'était de la littérature d'avant la littérature. Elle ne tenait ni par le beau style, qui est une coquetterie de clairvoyants, ni par l'imagination, qui offre aux oisifs de tromper à la fois leur ennui et leurs lecteurs, elle était le prolongement naturel d'un corps immobile, l'expression d'une pensée pure, débarrassée des images inutiles, des métaphores superflues. Lire Lusseyran, c'était réapprendre à lire, comme on dit réapprendre à voir, après une opération de la cataracte.

3

Un an avant sa disparition, devant une assemblée de bien-voyants, il tenta une fois encore d'expliquer l'incroyable pouvoir qu'il avait tiré de son traumatisme originel ; de montrer combien ce choc tellurique avait, en contrariant à la fois les idées reçues et les invariants scientifiques, déterminé toute son existence ; pourquoi enfin sa morale, sa philosophie de la vie, sa disposition au bonheur, son perpétuel besoin d'aimer découlaient naturellement de ce drame dont il n'allait cesser de faire une promesse et une chance. Car il rendait grâce au ciel qui, en le privant de l'essentiel, lui avait fait approcher une vérité plus essentielle encore. Il l'exposait ainsi : « La découverte fondamentale, je l'ai faite dix jours à peine après l'accident qui m'avait rendu aveugle. Elle me laisse encore ébloui. Je ne peux l'exprimer qu'en termes très directs et très forts : j'avais perdu mes deux yeux, je ne voyais plus la lumière du monde, et la lumière était toujours là. Imaginez ce que cette surprise a pu être pour un petit garçon de moins de huit ans. C'est vrai, la lumière, je ne la voyais plus hors de moi, sur les choses, mélangée aux choses et jouant avec elles ; et tout le monde autour de moi était convaincu que je l'avais à jamais perdue. Mais je la retrouvais ailleurs. Je la retrouvais au-dedans de moi et, ô merveille !, elle était intacte. »

C'est ainsi qu'il oublia très vite qu'il était aveugle. Seuls les autres croyaient devoir le lui rappeler. Sa conviction profonde était que la vue est un sens tyrannique et superficiel, condamné à glisser sur la peau des êtres, à la surface des choses, à évaluer les seules apparences. Le visible est futile et anecdotique. On eût pu même croire qu'André Gide s'adressait à lui quand il écrivait, dans *Les Nourritures terrestres* : « Que l'importance soit dans ton regard, non dans la chose regardée. » Car Lusseyran mettait les voyants en garde contre « la toute-puissance des formes » et tenait que la connaissance du regard est pauvre, voire mensongère. Il condamnait, bien avant qu'elles ne deviennent universelles et dictatoriales, « la civilisation des affiches, des inscriptions lumineuses, du cinéma, de la télévision, des illusions et l'idolâtrie des images ». Il prétendait que les aveugles entendent, sentent, goûtent, touchent, comprennent mieux que les voyants. Il disait : « La cécité a changé mon regard, elle ne l'a pas éteint. » Et il ajoutait : « Elle est mon plus grand bonheur. »

4

La légende prétend que Démocrite, à la fin de sa longue existence, se serait lui-même ôté la vue. Il aurait voulu, selon Tertullien, échapper au pouvoir qu'exerçait sur lui l'affolante, l'aveuglante beauté des femmes. Et dans ses *Nuits attiques*, Aulu-Gelle écrit que le philosophe grec se serait privé de la lumière parce qu'il estimait que « ses pensées et ses réflexions auraient plus de vigueur et de justesse s'il les délivrait des entraves apportées par les charmes séducteurs de la vue ».

Ne pas voir, c'est mieux voir. D'Homère à Xénocrite de Locres, la Grèce antique n'imagine pas de grand poète qui ne fût aveugle. Dans *L'Odyssée*, la Muse a pris les yeux de Démodocos, mais lui a donné « la douceur du chant ». Comme si, en plein soleil, la nuit des hommes était davantage dévotieuse et qu'elle favorisait en même temps l'éloquence, la mémoire, la méditation et la relation privilégiée avec les dieux. Rares sont les oiseaux, tels le merle noir ou le rossignol philomèle, qui chantent dans les ténèbres, mais leur chant est très pur et leur phrase, flûtée.

Jacques Lusseyran a lu Homère, mais je ne sais rien de sa connaissance ou de son ignorance de John Milton, le poète du *Paradis perdu* et du *Paradis retrouvé*, qui tomba dans la cécité – très exactement l'amaurose – à quarante ans et connut, lui aussi, la prison : la tour de Londres pour le républicain anglais, Fresnes pour le résistant français. Dans le sonnet de Milton, *On His Blindness*, j'entends la voix et la foi de Lusseyran, son obstination à travailler alors que sa lumière s'épuise et s'éteint, son courage et sa force. Mais jamais, chez l'auteur de *Et la lumière fut*, je n'ai senti venir ces terribles crises de désespoir qui, parfois, dans des périodes suicidaires, gagnaient le poète unitarien dont Wordsworth soutenait que l'âme était comme une étoile : elle habitait à l'écart. « La perte de la vue, estimait en effet Milton, est pire que les chaînes, le cachot, la mendicité, la vieillesse. Vie morte et enterrée, moi-même mon sépulcre. » À quoi Lusseyran répondait : « La seule infirmité que je connaisse, ce n'est ni la cécité, ni la surdité, ni la paralysie – si dures soient-elles –, c'est le refus de la cécité, de la paralysie. »

J'aurais tant aimé le *voir*. J'aurais tant souhaité rencontrer celui dont le sociologue Alain Touraine, dans son blog daté du 13 juillet 2013, écrit qu'il est demeuré, soixante-dix ans plus tard, son « ange gardien », sous la protection duquel il continue de penser, de travailler, de vivre : « Jacques Lusseyran, tué dans un accident obscur après avoir survécu à la déportation, lui le khâgneux le plus brillant, aveugle, dont la machine Braille a accompagné tant de mes heures à Louis-le-Grand, lui qui était toujours escorté de son ami Jean Besniée, déporté avec lui, mais qui n'est pas revenu... »

Car Lusseyran est mort, le 27 juillet 1971, sur une route de Loire-Atlantique, aux côtés de sa troisième femme. Il avait quarante-sept ans. Il laissait quatre enfants nés de ses deux premières unions, une demi-douzaine de livres publiés, autant de tapuscrits de romans, contes et pièces de théâtre refusés par les éditeurs, une thèse, soutenue à la fin des années quarante, sur « Le Syncrétisme religieux de Gérard de Nerval », les textes de conférences sur la cécité, mais aussi, pieusement conservés par sa fille, Claire Lusseyran, des numéros de *Défense de la France*, une poignée de lettres à lui adressées, et des photographies à tous les âges de sa météorique existence. Enfant extasié, dans le jardin de Juvardeil. Lycéen pressé, dans les rues de Paris. Rasé, la peau sur les os, la tenue rayée sur les épaules, à la libération du camp de Buchenwald. Jeune professeur cravaté, une cigarette à la main, dans la bibliothèque d'une université américaine. En pleine discussion avec Albert Camus, qui l'écoute pensivement, les doigts sur le menton, lors d'un festival à Angers, en 1953. Ou interviewé à la radio, tendu comme un animal vers un de ces gros micros des années soixante qui ressemblaient à des Esquimau géants. Et toujours souriant, exalté, comme indestructible. Une verticalité de cierge dans un monde où tout n'est qu'horizontalité. Avec ce regard sans objet qui semble fixer un point inatteignable et être indifférent à tout ce qui l'entoure. C'est moins le visage d'un homme – beau, brun, charmeur, léonin, kessélien – que l'expression tangible d'un pur esprit. Comme si le vrai Lusseyran était invisible ; comme s'il fallait être soi-même aveugle pour avoir le droit de le voir.

Parmi toutes ces photographies, une seule, bouleversante, cadrée comme un plan de Robert Bresson ou d'Andreï Tarkovski, et sans doute prise par son père, le définit au plus juste. Une fin de journée d'été et de premiers congés payés, sur le lac d'Annecy, en 1936. L'eau est plate et argentée. Assis au fond de la barque, sa mère, Germaine Lusseyran, dont une main est posée sur la rame, et une tante âgée. Pelotonné entre les deux femmes, un garçonnet de quatre ans, son frère cadet, Pascal. Au premier plan, seul sur son banc, il y a Jacques. Il porte une chemise blanche à manches courtes et un short clair. Il a douze ans et il est aveugle depuis quatre ans. Le dos droit, les deux mains posées sur ses genoux qu'il tient serrés, la tête légèrement inclinée, les yeux et les lèvres fermés, plus immobile qu'un petit roi gisant, on dirait qu'il prie. Ni heureux ni malheureux, mais ailleurs. Perdu dans un monde inaccessible au commun des mortels, où seuls pénétreraient les enfants qui n'ont pas connu l'insouciance et à qui le droit de faire des bêtises, de jouer aux billes ou à colin-maillard, de vouloir être pompier ou chevalier, de tendre l'index vers l'arc-en-ciel, a été retiré. Un elfe, sur l'eau moirée et froide descendue des montagnes coiffées d'une neige éternelle.

Cette position penchée, méditative, les mains sur les genoux, Jacques Lusseyran la gardera jusqu'à la fin de ses jours, me confie sa fille, Claire, un prénom de plein jour ajouté au patronyme éclatant – *lux*, l'unité de mesure d'éclairement lumineux, ou *lumen* – transmis par un père qui portait cette lumière en lui, même la nuit. *Fiat* Lusseyran !

6

En France, pays paresseux frappé d'amnésie, nation fatiguée qui juge suspects les exploits hors normes, qui est trop désabusée pour être curieuse de son passé, c'est à peine si l'on connaît cet homme remarquable, dont presque tous les livres sont introuvables. Il a fallu attendre l'année 2005 pour que, sous l'égide de l'Association Liberté-Mémoire, fondée notamment par Lucie et Raymond Aubrac, Germaine Tillion, Stéphane Hessel, Jean-Louis Crémieux-Brilhac et François Jacob, soit enfin rééditée son autobiographie, « exceptionnel exemple, selon François George, d'amour de la vie, de courage et de liberté intérieure face à l'adversité ». En Allemagne, au contraire, ses textes sont désormais inscrits dans tous les manuels scolaires. Et aux États-Unis, qui fut sa seconde patrie, la traduction de *Et la lumière fut* est sans cesse rééditée, sous le titre : *And There Was Light. The Extraordinary Memoir of a Blind Hero of the French Resistance in World War II*. En couverture, son profil métallique se confond avec la longue silhouette de la tour Eiffel. Au dos du livre, les éloges pleuvent. Pour l'acteur et réalisateur Ethan Hawke, « l'expérience de Lusseyran est passionnante, horrible, honnête, profondément spirituelle et toujours pleine de joie ». Pour Peter Brook, le metteur en scène du *Mahâbhârata*, épopée sanskrite de la mythologie hindoue, ce qui eût normalement été « une plongée tragique dans l'obscurité devient un voyage dans la lumière ». Il n'y a pas si longtemps, d'ailleurs, Martin Scorsese, le cinéaste de *La Dernière Tentation du Christ* et des *Affranchis*, a mis une option sur ce livre afin de le porter un jour à l'écran et de mettre son auteur en pleine lumière. C'est que l'aveugle français et ses exploits fascinent les étrangers. Somme toute, seul son pays est ingrat, qui a négligé autrefois d'honorer le lycéen combattant, n'a pas su l'accueillir à son retour de Buchenwald, lui a fermé les portes de l'enseignement en se prévalant d'une loi inique, et ne sait pas davantage entretenir aujourd'hui sa mémoire.

J'ai voulu écrire ce livre non seulement pour réparer une injustice et donner, dans mon énigmatique musée imaginaire, un frère d'armes au capitaine Goderville, un frère spirituel à Jean Prévost, le stendhalien du Vercors, mais aussi pour tenter de comprendre ce qui, dans l'accomplissement de cette existence brève et empêchée, échappe encore à l'entendement. Autant pour l'éclairer que pour m'éclairer.

« MES YEUX, OÙ SONT MES YEUX ? »

1

Alors que la Société des Nations, en adoptant le protocole de Genève, croit mettre le monde à l'abri de tout nouveau conflit, ou du moins raisonner cette menace par la diplomatie et l'arbitrage international, Jacques Lusseyran *voit le jour* sur la vieille colline de Montmartre, rue Lepic, entre le Moulin-Rouge et la place Blanche, dans le dix-huitième arrondissement de Paris, le 19 septembre 1924. Sa mère, Germaine Diard, née le 24 août 1894 à Juvardeil (Maine-et-Loire), a été institutrice à Écuillé et Noyen-sur-Sarthe pendant la Grande Guerre avant de poursuivre, à Paris, des études supérieures de physique qui lui ont permis d'entrer au Laboratoire de radio-électricité Gustave-Ferrié. C'est là que, en 1918, elle rencontre son futur mari, Pierre Lusseyran, un ingénieur chimiste originaire des Landes, diplômé de l'ESPCI (École supérieure de physique et de chimie industrielles de la ville de Paris) et de quatre ans son cadet, un athée fasciné par l'occultisme, attiré par la théosophie, bientôt converti à l'ésotérisme chrétien de Rudolf Steiner et adepte de la Société anthroposophique. Un couple rigoureux, industrieux, moral, indifférent à la griserie et à l'individualisme des Années folles, qui croit en même temps aux lois de la science et aux mirages de l'irrationnel, à ce qui est calculable et ce qui est indéchiffrable, qui semble travailler à réconcilier le positivisme du XIXe siècle et la mystique initiatique du XVIIIe.

Ses parents s'aiment, ses parents l'aiment et il les aime – c'est « une grâce » que leur fils n'oubliera jamais. Il se sait favorisé avant de se sentir menacé. Il n'oubliera pas davantage le postulat sur lequel leur foi est fondée : « Dieu existe, mais Dieu ne se montre pas à nous directement ; il faut le deviner, le connaître dans nos rêves joyeux, dans toutes les confidences que la nature nous fait. Jamais il n'interrompt sa présence. Dieu nous protège. » Même là, pense secrètement Jacques, où il semble avoir déserté et laissé sa place au Diable.

2

« Je commençai ma vie par le bonheur », écrit-il à la première ligne de *Mon Royaume*, un texte donné en février 1953 à la revue *La Table ronde*, au sommaire de laquelle il côtoie Julien Green,

André Maurois, Tatiana Tolstoï, Jean Cayrol et Paul Léautaud. Ce bonheur dont il parle avec lyrisme, il ne le doit pas seulement à la tendresse expansive de sa mère, chaleureuse de son père, il le doit aussi au monde qui l'entoure et auquel il voue un culte fervent. Jacques aurait pu être phénoménologue, mais il se rêve peintre ou explorateur. « Je me jetais goulûment vers les choses. J'aimais crier, courir, me précipiter vers tout ce que je n'avais pas encore vu : j'aimais voir. Les fleurs et les limaces des sentiers me fascinaient. Je donnais à chaque chemin le nom d'une plante, d'une bête, d'un objet. J'eus ainsi mon "chemin des coccinelles", mon "chemin du mélèze", mon "chemin du gros escargot". Rien pourtant ne me donnait plus de joie que les couleurs du monde. »

Juvardeil, canton de Châteauneuf-sur-Sarthe, arrondissement de Segré, assis sur la rive droite de la Sarthe, signalé au IXe siècle sous le nom de Gavardolium, est un bourg de quelques centaines d'habitants situé à vingt-cinq kilomètres au nord d'Angers que, devenu adulte, Lusseyran aimait prononcer en appuyant sur l'« œil » final et dont il voulait qu'il empruntât au latin *juvare oculis*, autrement dit « le plaisir des yeux ». Là, plus qu'ailleurs, il les avait ouverts sur les feuillages mélodiques des hauts peupliers et leur incessant bavardage de papier froissé, les prairies rendues plus grasses encore par la montée des eaux, les troupeaux de vaches indolentes, l'atelier odoriférant du charpentier de bateaux, la vieille église qui sonnait l'angélus du soir, la maison aux mille secrets de sa grand-mère, et il se rappellerait toujours ce spectacle tranquille de la campagne dont rien, jamais, ne venait troubler l'ordre liturgique.

Où qu'il irait, de l'enfer concentrationnaire aux forêts de Virginie, des criques grecques aux plages hawaïennes, il emporterait avec lui la terre et la lumière de Juvardeil, ce petit morceau de France et d'enfance à l'abri des fracas du monde. Les références de ses couleurs venaient toutes de ce village où le vert était pour toujours celui des champs de maïs, le jaune celui du colza, le rouge celui des coquelicots du printemps, le bleu celui du ciel d'Anjou sur lequel glissent des nuages blancs aux formes poupines. « De tous les lieux du monde, écrit-il, Juvardeil m'est le plus cher. » Sa mémoire n'a jamais cessé de s'appliquer à en reconstituer la beauté et à en préserver l'édénique pureté.

3

Jacques est un petit garçon comme les autres, ni plus joueur ni moins chahuteur. À une différence près : il est fasciné par la lumière. Derrière ses petites lunettes rondes de myope, il s'en gargarise. Il n'en a jamais assez. À Paris, il reste des heures sur le balcon pour la voir « ruisseler » en abondance sur les façades des immeubles. Le soleil, il ne le regarde pas, il le prend dans ses mains et le dévore à pleine bouche jusqu'à son coucher, où il guette alors le passage solennel de la pellicule d'or à l'eau transparente et enfin au feu rose. Il n'est jamais plus heureux qu'avec des crayons de couleur, qui lui évoquent le plumage d'un oiseau exotique et majestueux. Il veut dessiner l'incendie du monde et l'enfance de la splendeur. C'est un impressionniste en herbe, un petit Monet.

Mais, dans la campagne angevine où, en avril de 1932, il vient de passer ses vacances de Pâques, il a soudain le pressentiment que la beauté du ciel caressant en même temps la tonnelle de vigne, les grands buis et les rangées de tomates, lui est prêtée, et qu'il va devoir la rendre. Il a le réflexe de garder en mémoire tout ce dont, peut-être, il ne pourra plus jamais jouir et sur quoi ses camarades jettent encore un regard indifférent : un ciel orangé qui se couche derrière la forêt, le reflet des nuages effilochés dans la rivière, la mer verte des champs de premier blé pliant sous le vent, les nuits laiteuses de pleine lune. Au moment de rentrer à Paris par le train d'Angers, alors que piaffe et ronfle le petit cheval attelé, voici que Jacques disparaît en courant. Sa mère l'appelle plusieurs fois, en vain. Elle finit par le trouver, accroupi derrière un vieil arbre dont il a épousé, en creux, le tronc noueux. Il pleure, pleure, pleure, parce que c'est la dernière fois, il en est convaincu, que les couleurs lui sont offertes. « Maman, je ne verrai plus le jardin ! – Allons donc, lui répondelle. – Si, si, je sais bien que tout ça, pour moi, c'est fini. – Mais tu divagues, mon fils, qu'est-ce que tu vas encore inventer là. » Dans la carriole qui, au trot cadencé, emmène la famille à la gare, il serre contre son ventre le paysage qui va disparaître, tend sa main à la hauteur des branches, emmagasine son petit paradis terrestre comme Noé fit monter un à un les animaux dans son arche et, les yeux grands ouverts, il attend le déluge. Il a sept ans et demi.

4

Le 3 mai 1932, comme chaque matin, Jacques se rend, cartable sur le dos, lunettes aux verres incassables sur le nez, à l'école communale, située au 4 de la rue Cler, entre les Invalides et le Champ-de-Mars. Il traverse seul l'avenue Bosquet, enfile la rue Saint-Dominique et retrouve ses copains sous le porche, où l'on s'échange des images et des osselets. Il fait déjà beau, le printemps déborde, il inonde la classe. La leçon de calcul succède aux exercices de grammaire. À dix heures, la sonnerie annonce la récréation. On se lève d'un bond. On se bouscule, se nargue, se défie – pour jouer, sans mesurer sa force. Par-derrière, un élève, en trébuchant, pousse Jacques, dont la tête heurte violemment un pupitre en bois blond maculé d'encre. Une branche de ses lunettes perce l'œil droit et l'arrache. La douleur est atroce. Tous les enfants crient. Alertés, les professeurs se précipitent. Le visage en sang,

Jacques hurle: « Mes yeux! Où sont mes yeux? »
Il vient de les perdre à jamais. En ce jour d'azur,
de lilas et de muguet, il entre dans l'obscurité
où seuls, désormais, les parfums, les sons et les
formes auront des couleurs.

5

Le 4 mai au matin, après une nuit de délires et
de cauchemars au cours de laquelle il a l'impression de voir des cordes tendues qui l'enchaînent
à des murs spongieux, deux chirurgiens dépê-
chés dans l'appartement de la rue Dupont-des-
Loges pratiquent l'énucléation de l'œil droit.
L'œil gauche ne voit déjà plus: sous le choc, et
« par sympathie », sa rétine s'est en effet déchi-
quetée. La petite chambre de Jacques ressemble
à un hôpital de campagne, en pleine jungle, en
pleine guerre, avec son odeur de désastre, ses
bruits métalliques d'instruments chirurgicaux,
l'émotion mal contenue des praticiens et l'effroi
innommable des parents tétanisés.

« J'étais atteint de cécité totale, écrira-t-il, longtemps après. J'avais été à deux pouces de la mort
par méningite. J'étais aveugle: on me le dit aussitôt. Je fus à peine déçu. Je ne le crus pas vraiment. Je ne le crois pas encore. On me dit que
j'étais aveugle: je n'en fis pas l'expérience. J'étais
aveugle pour les autres. Moi, je l'ignorais, et je
l'ai toujours ignoré, sinon par concession envers
eux. » Plus tard, il dira: « Je ne voyais plus avec

les yeux de mon corps, je voyais avec les yeux de mon âme. »

Quelques semaines après le drame, une femme enceinte vient s'asseoir sur un banc, face à l'Institut national des jeunes aveugles, au 56 boulevard des Invalides, dans le septième arrondissement de Paris. À ses côtés se tient un garçon immobile et sage. Elle se met alors à pleurer des larmes de désespoir et de colère. Elle hoquette et tremble en maudissant le ciel. Les passants, gênés, contournent cet immense chagrin, cette détresse primale et recroquevillée que l'enfant sans regard tente en vain de calmer en posant sa main sur son genou et en le caressant. Mais rien n'y fait. La révolte ajoute à la supplique et les gémissements à la prière. On dirait une veuve corse, la rescapée d'un tremblement de Terre, une biche aux abois. Et puis, soudain, elle sèche ses yeux, se redresse, toise fièrement le porche de l'Institut, serre fort la main de son fils et, à haute voix, proclame : « J'en fais ici la promesse, il sera mieux que les autres ! »

Dès lors, Germaine Lusseyran se consacre à l'éducation de Jacques. Ce sera son sacerdoce. Elle refuse de le confier à l'école des nonvoyants et qu'il soit traité comme un handicapé, même s'il se heurte encore aux portes, se prend les pieds dans les tapis persans et, sur son passage, fait tomber les chaises. Elle veut qu'il soit aveugle parmi les voyants. Elle veut être l'instrument de sa guérison. Seule, croit-elle, une mère peut faire renaître son fils, le mettre au monde une seconde fois. L'ancienne institutrice retrouve alors ses réflexes et ses talents de pédagogue. Pas trace de compassion dans ses gestes, d'ailleurs son fils a horreur de la pitié et de la sollicitude. Elle apprend le braille pour le lui apprendre avec le très attrayant et aventureux *Livre de la jungle* – « Mowgli, dit-il joliment, reçut ma première visite. » Elle lui fait des lectures interminables, lui donne des cours particuliers dans toutes les disciplines. Elle l'initie à la tablette d'acier, à la règle métallique, au poinçon afin d'écrire en braille, et, pour faire ses exercices de calcul, au « cubarite » – ce sont des cubes d'acier portant des chiffres en braille qui s'encastrent dans les trous d'une plaque d'ébonite. Avec l'aide de son père, elle tend, dans leur jardin du Maine-et-Loire, de longues cordes entre les arbres et dessine ainsi un grand espace où Jacques peut se promener, grandir, se réapproprier la nature dont, avant l'accident, il était tellement gourmand. « Si la lumière intérieure ne nous était pas donnée d'abord, et par conséquent les couleurs, qui sont la monnaie de la lumière, écrira-t-il plus tard, jamais nous ne pourrions admirer les couleurs du monde. » Elle savait qu'il était courageux et téméraire, mais elle comprend vite qu'il est d'une intelligence exceptionnelle. Il se joue en virtuose de sa cécité, développe de manière prodigieuse son ouïe, qui deviendra son sens premier et rédempteur, s'emplit de connaissances à une vitesse sidérale, fait de chaque lecture une aventure, une odyssée. Elle va jusqu'à penser que, à ce rythme, des deux, c'est lui qui deviendra bientôt son professeur. Et cinq mois après l'accident, dans l'école même où il eut lieu, Jacques est admis à reprendre la classe avec ses camarades.

Plus tard, il jugera avec laconisme que, « pour un enfant, le courage est la chose la plus naturelle du monde ».

6

C'est la sœur de sa grand-mère maternelle, âgée de soixante-douze ans, qui se charge de lui faire connaître l'Histoire de France, pour laquelle il nourrit déjà une passion dévorante. Originaire de Juvardeil, cette grand-tante, qui fut institutrice dans la région de Cholet à partir de 1880, est un personnage haut en couleur. Bien que catholique pratiquante, elle a été persécutée pendant vingt ans pour avoir choisi, en plein pays chouan, d'exercer son métier dans une école publique, où elle fut prise à partie, menacée, accueillie à coups de pierres, et même chassée de la classe dont elle avait la charge. De cette période agitée, elle a gardé le goût de la castagne sans avoir perdu celui d'enseigner la culture générale, et en particulier l'Histoire. Célibataire obstinée, autoritaire, sacrificielle, colérique, voire méchante, elle se découvre sur le tard une tendresse inédite au contact du petit aveugle. « Je fus, reconnaît-il, la seule grâce de sa vieillesse. » Elle se dévoue sans compter pour devenir non seulement sa préceptrice privilégiée et sa lectrice particulière, mais aussi son actrice préférée. Une actrice à l'ancienne, qui mime ce qu'elle raconte, articule en grimaçant, appuie fort sur les liaisons, et dont les tirades improvisées semblent avoir été écrites par un dramaturge du théâtre privé. Pour Jacques, elle galope à cru avec les Huns, elle porte le cheval de Troie, elle commande à des légions romaines, elle est aux côtés de Napoléon à Schönbrunn, elle conduit des batailles, elle signe la paix de Presbourg, elle édifie des palais, préside des assemblées, parcourt aux trois allures l'Inde, l'Égypte, la Grèce. L'enfant est fasciné par cette femme impérieuse qui feint d'avoir tout vécu, tout connu, traversé les siècles et les continents, conversé avec tant de chefs d'État, qui s'ingénie à égrener des souvenirs imaginaires, mais encore chauds, dont il serait l'unique confident.

Pressent-elle, cette grand-tante exaltée, que le garçonnet devant lequel elle mime avec lyrisme les grands rôles de l'Histoire en marche sera, avant d'atteindre ses dix-huit ans, un héros sans peur et sans reproche de cette épopée moderne, la Résistance ?

7

Pendant l'été de 1932, Pierre et Germaine, qui est enceinte d'un autre garçon (Pascal naîtra le 6 octobre), emmènent Jacques à Pornichet, près de La Baule, où ils ont loué une chambre dans une pension de famille. Ils craignaient que leur fils ne restât prostré et solitaire sur la plage. Et ils découvrent, ébahis, que très vite Jacques règne sur ce théâtre d'eau et de sable. Il mène la ronde des enfants sur les toboggans, se fait une multitude de copains qu'il reconnaît et désigne grâce à leurs voix, se relève en riant lorsqu'il se prend les pieds dans les cordes d'une tente, tape même dans un gros ballon, joue à cache-cache, ramasse des coquillages qu'il identifie au toucher, et compare le bruit des vagues à une musique de chambre. « La mer parlait sans cesse, elle parlait partout ; elle me dirigeait de loin. » Et pourtant, il ne veut pas nager. Il ne craint rien, sauf l'eau. Il l'aime sur la rive, mais refuse d'y plonger. Toute sa vie, même sur la Côte d'Azur, même sur les îles grecques, il éprouvera une égale défiance pour l'élément liquide, qu'il juge trompeur, fuyant, insincère. Il lui faut un sol ferme, où s'enfoncer, où s'enraciner, où croître.

Quand tombe le soir, Jacques rassemble une dizaine d'enfants sous un tipi et leur raconte des légendes qu'il invente de toutes pièces, le plus souvent peuplées de personnages fabuleux qui explorent des continents inconnus, où vivent des géants généreux, où poussent des plantes dotées de la parole et où il fait entrer ses auditeurs extatiques pour leur confier des rôles de princes et de princesses, leur permettre de faire des exploits dans la jungle, de chevaucher des animaux fantastiques, les héroïser les uns après les autres. Après quoi, tous le remercient, les garçons d'un bonbon et les filles, d'une caresse. Très vite, le bruit se répand dans Pornichet : « Le petit aveugle n'a pas huit ans, mais il sait déjà des histoires, venez ! »

Jacques Lusseyran se rappellera toujours son premier été sans yeux. « Quand, plus tard, entrant au lycée, j'appris que le premier des poètes de la Grèce avait été un aveugle, j'éprouvai une joie reconnaissante. Moi, j'avais été le conteur de la plage ! »

D'autres étés se suivent et ne se ressemblent guère, car les parents de Jacques choisissent chaque année une destination différente, la campagne, la mer, la montagne, mais aussi les châteaux de la Loire, Amboise et Chambord, où on lui décrit les tableaux, les tapisseries, les trophées de chasse, où on lui apprend que Louis XIV fit jouer ici *Le Bourgeois gentilhomme* et là, *Monsieur de Pourceaugnac*. Il y ajoute, pour son plaisir, des courtisans bavards et des laquais pressés. À Langeais, il lui semble même entendre « le cri de guerre féroce et de sang dont ses corridors murés et ses échauguettes tremblent encore ». Dans chacun de ces lieux monumentaux, où il caresse les pierres burinées et fait chanter le vieux gravier, le garçonnet voyage mieux dans le temps que les bien-voyants. Il perçoit des voix lointaines, écoute gronder l'Histoire de France, la sent peser sur ses épaules de tout son poids. « La vue, dit-il, est un sens objectif, dédaigneux. Seul le toucher nous console. Le toucher, le goût et l'odorat. » Le monde lui appartient, le monde comme volonté de puissance. Il ambitionne d'y avoir un rôle principal, refuse d'en être un figurant, *unus ex multis*. Il redouble d'énergie, d'appétit, de rage aussi. C'est parce que certains le classent parmi les passifs qu'il sera plus actif encore. « Je voulais jouer ma vie, non pas la regarder venir ; je voulais prendre. » Il s'exprime déjà comme un adulte. Ses yeux sans yeux lui confèrent un surcroît de gravité. Il a toujours l'air de penser, même quand il rêvasse. C'est un garçon rayonnant et obscur.

8

Retour à Paris, ivre de sel et de ressac, pour la rentrée scolaire. Un matin, au Champ-de-Mars, alors qu'il tend les mains dans le vide comme s'il mendiait la lumière aux passants et tentait en vain de revoir les jardins, les arbres, les bassins, les grilles, les chaises en fer au milieu desquels il jouait quelques semaines auparavant, il fait une découverte stupéfiante. Au lieu de tourner ses yeux morts vers l'extérieur, il les oriente vers l'intérieur, en lui-même, où il peut vivre, courir, dessiner, où tout est plus stable et plus amical qu'au-dehors, où rien ne distingue le jour de la nuit, où les ombres n'ont plus leur place, où il peut déplacer à sa guise l'horizon, où il a le sentiment d'aborder un continent neuf et vierge à la manière de Christophe Colomb, où désormais il va gouverner sans violence le royaume dont il est l'unique régent et le seul habitant. Des objets, les plus lointains comme les plus proches, il dit seulement qu'ils ont « changé de logis », et qu'ils lui sont restitués – aucun ne manque à l'appel, même le soleil qui abandonne son ciel immense pour sauter en lui, et y briller. Alors, il éclate de joie : ses yeux ne sont pas fermés, ils sont seulement renversés. « Le soleil était là. Mais il n'était pas seul. Les maisons et leurs petits personnages l'avaient suivi. Je vis aussi la tour Eiffel et ses pattes tendues du haut du ciel, l'eau de la Seine et ses traînées d'ombres brillantes, les petits ânes que j'aimais sous leurs housses, mes jouets, les boucles des filles, les chemins de mes souvenirs... Tout était là, venu je ne savais d'où. On ne m'avait rien dit de ce rendez-vous de l'univers chez moi ! Je tombais, ravi, au milieu d'une conversation surprenante. Je vis la bonté de Dieu et que jamais rien, sur son ordre, ne nous quitte. »

Dès lors, l'enfant barioleur se met à colorier le monde. La fillette qu'il rencontre au bord de la mer quelques mois après l'accident est rouge comme une cerise mûre. Les chiffres ont leur couleur, vert sombre pour le sept ou doré pour le neuf, les notes de musique sont éclatantes, du *do* blanc au *ré* jaune, du *si* bleu clair au *sol* bleu sombre argenté, et l'alphabet devient un arc-en-ciel :

A   rouge aux bras ouverts,
B   bleu du ciel toit qui domine et rassure,
E   crème couleur muette et l'attente des sons.
F   orangé,
G   rose des briques,
H   toute dignité bleu-noir vêtement solennel,
I   vert clair triomphant flèche dressée défi de l'espoir,
J   bleu tendre rêverie des souvenirs,
L   verte et douce tige montée de la vie et des mains qui prennent,
M   et N noirs jumeaux noués et sûrs,
O   pâleur cernée de bleu paix sans fin des lieux fermés,
T   défense rose et rouge double lame,
U   jaune paille appel et fuite.

9

Avant, les objets étaient muets. Maintenant, ils lui parlent. Comme si les masses opaques et compactes, dont, même à distance, il sent la puissante pression sur son petit corps, attendaient qu'il fût aveugle pour enfin converser avec lui. L'enfant comprend que le parti pris des choses est tonitruant : il suffit de caresser un verre pour qu'il chante, de froisser une feuille de papier pour qu'elle exprime tout ce qu'on pourrait y écrire, de chatouiller l'écorce d'un arbre pour qu'elle rie, d'ouvrir la porte d'une armoire pour qu'elle libère un flot de souvenirs. Il n'est pas un objet qui ne produise un son singulier. Les signes qu'il ne voyait pas, il les écoute. Les joies et les plaintes qu'il n'entendait pas, il les observe. Le monde matériel est d'une richesse insoupçonnée que le petit Jacques va se consacrer maintenant à épuiser. Car il a la vie devant lui. C'est du moins ce qu'il croit. Comme il croit, mordicus, en « l'équité de Dieu ». Dieu, qu'il célébrait avant, et à qui il se confie maintenant, tels un ami, un aîné protecteur, un autre père, qui est aux cieux.

10

Bonheur des retrouvailles avec Juvardeil, où ses parents, dont il a déjà oublié le visage, ont fait installer un portique dans le jardin fermé de hauts murs, à équidistance du poulailler et du puits. Jacques passe des heures à faire des acrobaties, montant et descendant l'échelle de corde, faisant la roue autour du trapèze, se hissant sur les anneaux pour retomber, la tête en bas. Du portique, il passe aux pommiers, qu'il escalade de branche en branche. Le ciel est son royaume, où sonnent les cloches « nobles et douloureuses » de l'église du village, lesquelles tombent sur lui « en longues nappes d'or percutantes ». Il lui semble mieux vivre en hauteur que sur terre. « J'y devenais plus intelligent. Toutes sortes d'ombres étaient balayées. Je touchais mieux, j'entendais mieux, je voyais mieux. »

Il explore aussi, avec une liberté nouvelle,

la campagne alentour, se déplaçant au son du marteau incandescent de la forge et du battoir des laveuses agenouillées devant la rivière. « Je faisais amitié avec le paysage », dit-il joliment. Il s'enivre des essences d'arbres, découvre qu'il les connaît mieux aujourd'hui en respirant leur parfum qu'autrefois, quand il les regardait ; il sait, lorsqu'il marche le long d'une route, que telle ombre est celle d'un chêne, telle autre d'un sapin, ou d'un acacia, ou, parce qu'elle est dense et lourde, d'un noyer, ou encore de l'odoriférant tilleul et du buis sucré ; même les bruits, qu'il est le seul à traduire, le craquement sourd d'une écorce de tronc ou le froufroutement d'une frondaison de peuplier dans le vent, lui permettent de les identifier sans jamais se tromper. Les meilleurs des garçons de Juvardeil – « la fréquentation des médiocres m'était évitée », note-t-il avec un humour insolent – se disputent le privilège de lui offrir qui son épaule, qui son bras, qui sa main. Ils guident le petit aveugle dans les champs et sur les meules de foin, qu'on appelle des « veilles » en Anjou et que, déjà plein de désir, il compare à de « grandes filles brûlantes aux cheveux fous ». Ils l'aident à sauter les haies ou tirer la charrette du grand-père, délimiter l'espace où, en septembre, il ramasse les pommes et les poires dans l'herbe molle et « parfumée comme un alcool ».

Il dit que la cécité le rend plus heureux encore, plus affamé de ce que la terre peut offrir. Elle métamorphose l'enfant parisien en vrai paysan.

Dans les rues et sur les boulevards de la ville, tout fait obstacle, tout est piégé. Il n'est pas rare qu'il entende des mamans chuchoter à leur progéniture : « N'allez pas jouer avec lui, vous *voyez bien* qu'il est aveugle ! », comme jadis l'on préconisait de bien se tenir à distance des lépreux. Au contraire, à Juvardeil, la nature n'est jamais hostile et les nourrices ne sont pas suspicieuses. Il y est un garçon comme les autres. C'est là, dans ce petit coin de France où les potagers sont dispendieux et les amitiés, tenaces, qu'il a appris à préférer les hommes simples, fussent-ils rudes et peu éduqués, et même ce qu'on appelait autrefois les idiots du village, aux personnages avantageux, aux précieux ridicules et aux consciences torturées qui pullulent dans Paris. Jamais cette disposition instinctive à chercher d'abord la compagnie des gens de peu et des simples d'esprit ne lui sera plus utile qu'à Buchenwald. Mais ça, évidemment, il l'ignore encore.

« J'ai su très tôt, dira-t-il plus tard en se souvenant de son enfance, que la cécité me protégerait contre une grave misère : celle d'avoir à vivre avec les égoïstes et les sots. Car seuls venaient à moi ceux qui étaient capables de générosité et de compréhension. Le choix de mes camarades était plus simple que pour tout autre. Les garçons et les filles qui attendaient de l'amitié un profit personnel, je ne les connaissais pas ; jamais ils ne me dérangeaient. C'est ainsi qu'à l'école primaire, puis au lycée à Paris, j'ai rencontré les meilleurs, sans même avoir à m'en préoccuper. Ils étaient là près de moi, avec moi. Ils m'aidaient à vivre comme si j'avais eu mes yeux, à courir, à grimper aux arbres, à conduire une barque et parfois à chiper des pommes. Et moi, à leur plus grande surprise et à la mienne souvent, je leur apprenais à mieux voir. »

11

C'est un rituel dont il raffole. Chaque samedi, Pierre Lusseyran vient, en taxi, chercher son fils à la sortie du lycée, et l'emmène au concert. La première fois est un choc. Dans l'orchestre Lamoureux, le prodige qui joue du violon est un garçon à peine plus âgé que lui. Son père lui apprend qu'il s'appelle Yehudi Menuhin et habite, avec sa famille, à Ville-d'Avray. L'oreille de Jacques est si sensible qu'elle saura bientôt reconnaître, de Paray, Weingartner, Munch ou Toscanini, qui est au pupitre, qui dirige l'orchestre dont Yehudi est le jeune dieu.

Mozart, Bach, Haendel, Beethoven, Schubert, la musique exalte le petit aveugle. Elle le rend ivre de joie, elle le fait pleurer aussi. Elle vient de si haut qu'il croit y entendre la voix de Dieu et avoir ainsi la preuve de sa grâce. Il dit que son corps l'écoute moins qu'il ne prie. Avec ferveur, il demande à jouer d'un instrument. Ce sera le violoncelle, sur lequel il fait ses gammes, apprend la justesse, et qu'il pratique assez bien pour être admis dans un trio. Mais la technique ne suffit pas. Il est plus doué pour les couleurs que pour les sons. C'est un « aveugle visuel » qui imagine l'orchestre comme un arc-en-ciel où le vert clair du hautbois ajoute au jaune feu du violon. Il met trop d'images sur les notes, trop de paysages sur une partition. Il sera mélomane, à défaut de pouvoir être interprète.

Après chaque concert à Pleyel ou à Gaveau, le père et son fils rentrent à pied jusqu'à leur appartement. Cette longue marche encore bercée par le concerto ou la symphonie qu'ils viennent d'écouter – « les plus belles heures de mon enfance », selon Jacques – est l'occasion d'un dialogue ininterrompu sur l'élévation de l'âme et les forces de l'esprit. L'enfant s'étonne d'avoir aperçu le divin dans le souffle d'un cor, les soupirs d'un piano, la caresse d'un violon. Il serre le bras de son père anthroposophe, qui lui explique pourquoi l'on peut étudier les phénomènes spirituels exactement comme la science analyse le monde physique. Pierre promet à Jacques de l'emmener bientôt en Suisse, à Dornach, au sommet de la colline inspirée où l'Autrichien Rudolf Steiner, disparu en 1925, a fait édifier une église dédiée à l'anthroposophie, le Goetheanum. Fasciné, le fils écoute son père lui décrire le cycle des réincarnations successives ou lui réciter des maximes du maître, parmi lesquelles cette règle d'or : « Quand tu tentes de faire un pas en avant dans la connaissance des vérités occultes, avance en même temps de trois pas dans le perfectionnement de ton caractère en direction du bien. »

Jacques Lusseyran sera toujours marqué par l'enseignement de Rudolf Steiner, dont son père, retour d'un *Requiem* ou d'un *Stabat Mater*, avait été l'intercesseur. « Selon cette vue nouvelle, le scandale de l'injustice terrestre, celui de la souffrance imméritée s'apaisent soudain. Notre malheur est désormais à la mesure seule de notre responsabilité ; notre inquiétude et notre désespoir ne sont plus définis que par notre ignorance. Nous devons payer nos fautes passées, répondre de nos fautes présentes, mais nous pourrons les racheter dans nos vies à venir. Seule notre histoire apparente, extérieure, est une histoire absurde, arbitraire. Notre destin intérieur ne connaît que l'équilibre et la réciprocité. Nous voilà partiellement maîtres de notre aventure personnelle, coupables non plus, comme tant de religions nous l'enseignent, d'exister, de naître et de mourir, mais coupables seulement d'exister dans l'abandon à la matière, dans l'oubli de nous-mêmes. »

12

Si le samedi est dévolu à la grande musique, le jeudi est réservé au théâtre et à son Versailles de la place Colette : la Comédie-Française. Il s'y rend avec des camarades de lycée qu'il charge de lui signaler à mots couverts, depuis le poulailler, l'entrée en scène de l'amant, du traître ou du bourreau, de lui décrire l'action, le décor, une robe, un geste, un échange de regards, le brillant d'un poignard, le nombre des colonnes romaines, une porte qui s'ouvre ou se ferme. À *Polyeucte*, *Britannicus*, *Tartuffe*, *Athalie* ou *Zaïre*, il ajoute ce que sa propre imagination lui dicte, réinventant à sa manière les tragédies et les comédies au rythme des alexandrins, et sortant du théâtre avec une opinion très sûre, qui méduse ses amis, sur la qualité ou les défauts de la scénographie, voire des éclairages, trop forts ici, trop faibles là. Mais il entend surtout les voix comme personne, dont il parle comme de corps. Elles sont chaudes ou froides, puissantes ou malingres, voluptueuses ou sèches, avenantes ou repoussantes, pudiques ou impudiques. Elles donnent de la chair et un promontoire aux grands textes. Ce ne sont plus les voix des acteurs, ce sont les voix du théâtre vivant, vibrant.

13

À dix ans, Jacques, dont la famille s'installe dans un appartement situé au 118 de la rue d'Assas, entre en sixième, au lycée Montaigne où, en guise de cartable, il apporte avec lui une petite machine à écrire le braille, inventée par Auguste Mauler et que ses parents ont fait venir de Suisse. Grâce à ses six touches, qui actionnent six poinçons et creusent soixante-trois signes en relief, elle produit un cliquetis régulier qui devient vite familier aux élèves de la classe et leur signifie simplement que, rythmant les heures, leur camarade travaille, travaille sans répit, avec une ardeur et une obstination dont ils ne sont guère capables, avec une mémoire que la cécité élève à une hauteur insoupçonnée. Mémoire des dates, des capitales, des fleuves, des montagnes, des règles de calcul, des principes grammaticaux, et surtout des plus beaux poèmes français. Il ose même l'augmenter d'un bonheur, un indécent, incompréhensible bonheur, celui de nager dans la lumière, qui sidère ses proches et déjoue tous les principes compassionnels : « J'ai été très joyeux de huit à vingt ans, parce que je ne voyais pas. »

Les bulletins mensuels l'attestent : Jacques Lusseyran brille à chaque contrôle, ses professeurs n'ont pas assez d'adjectifs et de superlatifs pour louer ses progrès foudroyants. Les premières places le disputent aux tableaux d'honneur et d'excellence. Il ira loin, et dans tous les domaines, littérature, histoire, mathématiques, géographie. En plus, disent les autres élèves, il est gentil. Et toujours de bonne humeur. Son sourire est son regard.

« Ce que nous appelons ordinairement amis et amitiés, ce ne sont qu'accointances et familiarités nouées par quelque occasion ou commodité, par le moyen de laquelle nos âmes s'entretiennent. En l'amitié de quoi je parle, elles se mêlent et se confondent l'une en l'autre, d'un mélange si universel, qu'elles effacent, et ne retrouvent plus la couture qui les a jointes. Si on me presse de dire pourquoi je l'aimais, je sens que cela ne se peut exprimer, qu'en répondant : Parce que c'était lui, parce que c'était moi. » On ne trouve rien de mieux que les mots fameux de Montaigne inspirés par La Boétie pour décrire la force et la puissance secrètes des liens qui unissent Jacques Lusseyran à Jean Besniée.

Ils se rencontrent durant l'hiver de 1935, dans la classe de sixième du lycée Montaigne. Ils ne se quitteront plus. Frères gémellaires – nés tous deux en 1924 –, ils le sont au lycée, à Toulouse, dans la Résistance et la déportation. Seule la mort les séparera. Jean succombera, le 3 mars 1944, lors de son transfert du camp de Neue Bremm à celui de Buchenwald ; Jacques sera son survivant inconsolable, mêlant la douleur de l'esseulé à la mauvaise conscience du rescapé. Ce fut, écrira-t-il dans *Et la lumière fut*, « une amitié sublime et tragique ». Et il ajoute, éperdu de gratitude : « Dieu semblait l'avoir envoyé à mon intention, envoyé pour m'apprendre à aimer, pour m'apprendre que l'amour est possible. Au-delà de sa mort, il continue d'exister pour moi. Jean m'avait été donné. »

Dès le début, les deux garçons de onze ans se reconnaissent : ils ont en commun le courage, l'honnêteté, la loyauté, la détestation viscérale de l'hypocrisie, du mensonge, des grossièretés, de la complaisance et même de la ruse. Ce sont de longs enfants éthiques. Ils partagent tout. Ils aiment étudier ensemble. L'hypermnésique Jacques aide Jean à travailler sa mémoire, parfois défaillante. Jean offre à Jacques ses yeux, son épaule, sa main et sa « voix bleu de source ». Ils se comparent volontiers au petit couple qui, chez Maeterlinck, capture *L'Oiseau bleu* afin d'aller au-delà du monde réel et de voyager dans les songes. Ils partent ensemble en vacances, dans le Haut-Vivarais, où Jean guide Jacques dans la montagne, lui désigne les sapins enlacés, les rochers arrondis, les gorges sinueuses, les brouillards blancs, jaunes ou gris. Lorsque, en pleine randonnée, saisi par un scrupule, le malvoyant exprime sa gêne d'obliger ainsi son ami à parler sans répit afin de lui décrire chaque parcelle du paysage, Jean a ce mot admirable : « Pourquoi me demandes-tu si cela m'ennuie ou me fatigue ? Si tu n'étais pas là et si je ne devais pas t'expliquer, je verrais tout cent fois moins bien. »

À douze ans, Jacques, enfant sage et si précoce, découvre le dramaturge anglais de la fureur et de la peur. Il raffole des galopades, de la déraison et de « l'excès divin ». Shakespeare, dont le théâtre complet existe en braille, est sa grande affaire. Il dévore cette intégrale avec une excitation et une impatience qui ne sont pas de son âge : *Macbeth*, *Hamlet* – « du Racine, avec de la brume en plus » –, *Le Marchand de Venise*, *Othello*, qu'il trouve « sublime », *Falstaff*, *La Mégère apprivoisée*, *Le Songe d'une nuit d'été*, *La Tempête*, *Coriolan*, *Jules César*, *Richard III*, *Henri VIII*, et surtout *Le Roi Lear* et *Roméo et Juliette*, deux pièces qu'il relit plus de dix fois. Lui qui ignore la haine et plus encore la vengeance est fasciné par ce théâtre qui présente un monde torturé et des êtres monstrueux. Il n'a jamais maudit le destin qui lui avait enlevé ses yeux. La rancœur lui est aussi étrangère que le regret. Au contraire, il a trouvé, dans cette privation fondamentale, une raison supplémentaire de croire à la splendeur du monde, de penser que l'amour est plus fort que la mort, de tenir qu'il suffit de le vouloir pour échapper au malheur, refuser la malédiction, faire la paix, même si la guerre gronde au loin et se rapproche. Jacques est un petit idéaliste, plus vaillant que ses camarades de classe, auquel la littérature – tout Shakespeare, donc, mais également le *Salammbô*, de Flaubert – offre le spectacle exacerbé des passions obscures, des intolérances, des rancunes, des trahisons, des rivalités, des jalousies, des vanités, des cruautés, des tromperies, des égoïsmes, dont les écrivains, ces mauvais génies, seraient les inventeurs. L'Histoire se chargera, dans trois ans, de lui montrer que la réalité est plus noire encore que le théâtre anglais ou le roman français.

Lorsqu'il est fatigué de fréquenter les tyrans et les assassins à l'œuvre, le jeune Lusseyran choisit la compagnie des poètes, des voyants, ses frères. Sa bibliothèque est déjà borgésienne. Il lit et apprend par cœur Albert Samain, Henri de Régnier, *Les Orientales* de Victor Hugo, *Les Campagnes hallucinées* et *Les Villes tentaculaires* d'Émile Verhaeren. Autant d'invitations « à vivre ailleurs, à exister autrement que j'existais. Et je ne songeais qu'à leur répondre. Je n'étais plus le seul à voir le monde à l'envers, retourné soudain, étrange et complètement neuf. Mes inquiétudes avaient subi une première défaite ».

Il se met alors à son tour à écrire des poèmes. Ils sont trop lyriques, épiques, baroques. Ils préfigurent une planète imaginaire peuplée de doux rêveurs. Jacques ne sait pas se raisonner. Il n'aime ni la litote ni le sous-entendu. Il lui faut déjà des cuivres et des tambours. Sa prose souffrira toujours un peu de cet excès d'excès. Quand un paragraphe suffirait pour exprimer une émotion et cerner une idée, il a besoin de leur consacrer dix pages enflammées. Et, pour être certain d'être compris, il aligne plusieurs adjectifs, autant de métaphores et de points d'exclamation. Ces premiers textes s'intitulent *Chant d'accueil de l'Amérique à Christophe Colomb*, *Hymne d'actions de grâce de Christophe Colomb à l'océan*, ou simplement *Nuit cubiste*, *Aux portes du rêve*, la *Maison tournante* et *Le Jardin à midi*, qu'un ami violoniste s'empresse de mettre en musique. Ce qui lui donne l'idée de composer des poèmes pour des œuvres qui lui sont proches : *Le Nouveau Monde*, d'après la *Cinquième symphonie* de Dvořák ou *La Grotte de Fingal* d'après l'Ouverture des *Hébrides*, de Mendelssohn. La plume et la baguette – il règne, c'est un démiurge.

16

En 1937, la famille déménage à nouveau, cette fois de la rue d'Assas au boulevard de Port-Royal, numéro 88, dans un vaste appartement où Jacques dispose d'une chambre qui est son bureau et sera bientôt son Q.G. Pour son entrée en troisième, il passe du lycée Montaigne au lycée Louis-le-Grand, que sépare le vaste jardin du Luxembourg, où il aime tant se promener pour exercer son odorat, traduire en formes géométriques le parfum des pelouses tondues ou de la vase du bassin, dessiner des allées sous les arbres du printemps, caresser le socle des statues et réveiller de leur long sommeil de pierre les jeunes reines de France.

L'année suivante, Pierre Lusseyran emmène son fils à Strasbourg et puis à Stuttgart, où les bruits de bottes qui claquent sur le pavé, les chants martiaux, les défilés cadencés de chemises brunes et les tonitruants *Deutschland über alles* n'augurent rien de bon. Et pourtant Jacques a la passion de l'Allemagne, de sa littérature, de sa musique, de son histoire. La première fois qu'il a entendu déclamer – c'était à Dornach, dans le temple anthroposophique, il avait alors treize ans – des poèmes de Goethe dont il ne comprenait pas le sens, mais qu'il devinait, il a trouvé cette langue d'une « beauté sonore exceptionnelle » et d'un « pouvoir merveilleux, unique, de métamorphose ». Avec ses voyelles et ses diphtongues chaudes, ses coups de cymbale, sa « *stille Nacht, heilige Nacht* », ses mots rocailleux que seule la musique de Mozart pouvait adoucir, l'allemand était, pour lui, une musique, mieux : une architecture musicale, une patrie sonore qui lui donnait le goût de vivre, exaltait toutes ses facultés et dont rien, même la guerre, même l'Occupation, n'allait assombrir l'éclat, entacher l'attrait, empêcher l'emprise. Comme son aîné, l'écrivain et résistant Jacques Decour, qui tenait l'Allemagne pour le siège mondial de la civilisation et de l'humanisme, qui avait grandi avec *Le Prince de Hombourg*, *Les Affinités électives* et *Le Gai Savoir*, qui avait traduit Storm, Kleist, Heine, et qui serait fusillé par les nazis le 30 mai 1942 au Mont-Valérien, Jacques Lusseyran est un germanophile d'esprit, de cœur et d'âme. Il trouve le *Pater Noster* allemand plus rythmé et plus poétique que le nôtre et aurait pu faire sien le jugement de Decour : « Ce n'est pas un bêlement monotone, mais une vraie prière. »

Rentré en France, il capte la radio allemande et entend, le 12 septembre 1938, le discours que prononce Hitler devant le congrès de Nuremberg : « En aucun cas je ne serai disposé à assister indéfiniment calme à l'oppression persistante de nos frères allemands en Tchécoslovaquie. J'exige que cesse l'oppression de trois millions d'Allemands en Tchécoslovaquie et qu'elle soit remplacée par le droit de libre disposition. » C'est une voix qui en même temps le terrifie et l'intrigue. « J'étais sensible à sa magie. Je ne la trouvais pas grossière, je ne la trouvais pas mécanique et grinçante : elle avait pour moi la majesté des grandes fautes. Je me sentais emporté par elle, happé vers cette foule qui, là-bas, hurlait, trépignait. Hitler était donc, dans ce conflit naissant à travers l'Europe, le seul feu qui parût briller. Tous ceux qui défendaient la raison, la sagesse, eux, ne parlaient pas, ne savaient pas parler. Ma déception grandissait chaque jour. » À quatorze ans à peine, il comprend que le Mal a le verbe haut et puissant, il mesure la redoutable séduction des langages totalitaires et il trouve, en revanche, aux avocats de la paix une bien pâle rhétorique.

Désormais, à raison de deux heures par jour, Jacques étudie l'allemand. Bientôt, il lit avec facilité le *Buch der Lieder*, de Heine, le *Guillaume Tell* de Schiller, et l'autobiographie de Goethe, sans comprendre comment, au même moment, à la

T.S.F., cette langue à laquelle il trouve tant de vertus est l'instrument grésillant d'une propagande acharnée. Car c'est avec les mots de Kleist ou des frères Grimm que s'écrivent les discours haineux du Sportpalast de Berlin, qu'on menace et insulte les juifs, qu'on décrit les rassemblements des S.A. et des S.S., qu'on glorifie la puissante Allemagne. Accablé, il note alors : « Je n'étais plus un enfant : mon corps me le disait. Mais toutes les choses que j'avais aimées, quand j'étais un gosse, je les aimais encore. Ce qui m'attirait et me terrifiait à la fois dans la radio allemande, c'est qu'elle était en train de détruire mon enfance. Les ténèbres extérieures, c'était elle. Un endroit pire que tous les mélodrames, où il faut que les hommes hurlent à tue-tête pour se faire entendre, où, quand ils veulent déshonorer, ils parlent de l'honneur, et de patrie chaque fois que l'envie les prend de piller. À pareille école, j'aurais dû apprendre à aimer la guerre. Mais non ! je ne l'aimais pas. »

Cette guerre, le 3 septembre 1939, cinq heures après l'Angleterre, la France la déclare à l'Allemagne. Pierre Lusseyran est mobilisé à Toulouse comme officier-ingénieur dans une poudrerie, où il surveille le passage, dans de vieilles tuyauteries, d'un dangereux mélange d'acide sulfurique et d'acide nitrique – un poison qui, au bout de quatre mois, le blessera grièvement. Sa femme et ses enfants le suivent. Jacques est inscrit pour un an dans un lycée de la Ville rose, où il a le bonheur de retrouver Jean Besniée, son premier allié substantiel, son inséparable. Tandis que les troupes allemandes envahissent la Pologne et que le gouvernement français décrète la mobilisation générale, les deux lycéens se récitent à haute voix les discours de Lysias, les *Philippiques* de Démosthène, les pages de Tite-Live sur la deuxième guerre punique. Ils lisent aussi *Le Rouge et le Noir*, de Stendhal, un roman qui donne des arguments à leurs premiers émois amoureux. Car ils se sont entichés de la même jeune fille, prénommée Aliette. «Ensemble, disent-ils, nous saurons tellement mieux l'aimer... » Un rêve passe, fusionnel et idyllique, qu'ils ne réaliseront jamais.

Après la débâcle et l'armistice, le 16 septembre 1940, c'est l'adieu à Toulouse. «La République, vient de déclarer le vice-président du Conseil Pierre Laval au journal belge *La Légion*, a cessé d'exister en France. » Dans le train qui roule lentement vers la capitale occupée et traverse des paysages verdoyants, dont la douceur tremblée semble menacée, Jacques est plein de regrets. «Je n'oublierai jamais ma ville rousse, paresseuse et joviale, à la jupe de fée, au chapeau de lumière, où vint à moi, interrogeante et câline, enfantine et passionnée, la première figure d'une fille joyeuse, où j'appris pour la première fois qui j'étais et qui je pourrais être, où, maladroit, triomphant, déçu, pour moi le bonheur s'ouvrit, se ferma. »

À Paris, Jacques reprend le chemin de Louis-le-Grand avec la secrète intention non seulement d'y étudier, mais aussi de s'engager. Car il a été saisi par la honte, trois mois plus tôt, en écoutant, à Toulouse, le maréchal Pétain décréter la fin des combats, mais aussitôt galvanisé en entendant, d'une voix « qui ne trompe pas », l'appel à la résistance du général de Gaulle. Il dit qu'il va se battre. Contre le silence et la mort. À seize ans, il a déjà choisi son camp et il voit clair en lui.

C'est à cet âge-là, en effet, qu'il se réconcilie avec lui-même. « Je me souviens qu'il me fallut une grande somme d'enthousiasme pour oser regarder ce qui se passait en moi. Tout me détournait de cette connaissance. Les livres en niaient la possibilité, parlaient de fantasmes, de mirages. La société était hostile. Oui, la société presque tout entière. Je savais qu'elle refusait mon expérience. Personne ne me l'avait dit exactement, brutalement : ni mes parents, ni mes maîtres, ni mes camarades. Mais c'était aussi que je n'avais affronté personne : de ce spectacle continu, de cette vue qui poursuivait sa vie en moi, je ne parlais pas. »

Il vient de comprendre que la lumière dont apparemment il a été privé demeure en lui, que l'essence précède l'existence et la source, le fleuve. Il rend grâce à Dieu de l'avoir doté d'un troisième œil, l'œil de Çiva, qui voit plus profond et plus loin que les yeux ordinaires.

Au milieu des années cinquante, dans son atelier parisien situé près du Luxembourg, le peintre Jean Bichier, alias Jean Hélion, qui s'était évadé en 1942 d'un camp de Silésie où il était détenu, fit poser Jacques Lusseyran. Il voulait faire son portrait. « Ce que je cherche à peindre, lui dit-il, c'est ton regard. Je vois qu'il n'est pas dans tes yeux. Mais je vois qu'il a sa place dans ton visage : une région plus large dont j'aperçois le contour. » Et il précisa : « Un portrait, c'est fait pour montrer comment un homme fleurit au-dessus de lui-même. » Hélion ne savait pas alors qu'il allait lui aussi, quinze ans plus tard, perdre progressivement la vue, subir une double opération de la cataracte et faire entrer, dans ses œuvres, des aveugles aux cannes blanches.

Sur le tableau, Jacques baisse la tête, il a les yeux fermés d'un pénitent, comme sur la photo du lac d'Annecy, en 1936. Seul le large front, délimité par les cheveux en bataille et de longs sourcils noirs, semble regarder le peintre, rendant plus immobile encore le bas du visage. Les traits sont fins, presque enfantins. C'est l'étonnant portrait d'un homme plongé en lui-même, tourné vers son centre, réfugié dans la caverne platonicienne, absorbé par un puits lumineux et que le monde réel qui l'entoure n'atteint pas, n'atteint plus. Ce qu'il voit, on ne le voit pas. Peut-être sommes-nous les vrais aveugles. À qui veut l'entendre, il répète qu'il a une chance folle, qu'il est un privilégié.

On pense à *Éloge de l'ombre*, de Jorge Luis Borges, le directeur sans yeux de la Bibliothèque nationale de Buenos Aires pour qui le monde visible n'avait plus de couleurs – à l'exception du jaune or –, les amis n'avaient plus de visage et les livres n'existaient plus que dans sa mémoire : « Maintenant, écrivait-il, je peux les oublier. J'arrive à mon algèbre et à ma clef, à mon miroir. Bientôt je saurai qui je suis. »

LE VOLONTAIRE DE LA LIBERTÉ

1

Ils sont quarante-sept. Plus qu'un groupe, déjà un mouvement. Leur mot d'ordre n'est pas la patrie, c'est la liberté. Il leur a suffi d'échanger quelques paroles dans les cours des lycées Louis-le-Grand et Henri-IV, au sommet du Quartier latin, pour se reconnaître. Ils considèrent que la défaite est provisoire et qu'il convient de saisir toutes les occasions pour le faire savoir. Ils prétendent moins à la révolte armée qu'à l'action morale. Ils veulent répandre « la vérité, la confiance et le courage ». Ils ne s'accommodent pas de l'occupation allemande. Ils ne veulent pas vivre dans un Paris « silencieux comme un cercueil », autour duquel rôde la maladie de la peur. Ils vitupèrent le maréchal Pétain, dont les mots, affichés sur les murs de la ville, leur font honte : « C'est dans l'honneur, dans le cadre d'une activité constructive du nouvel ordre européen que j'entre aujourd'hui dans la voie de la collaboration. » Eux refusent d'abdiquer, de se soumettre. Ils grondent en rongeant leur frein. Ils savent que si la jeunesse est leur force, le temps est venu, tel un printemps précoce, de basculer dans l'âge adulte. D'étranges adultes à la bouche puérile coiffée d'un duvet et aux doigts maculés d'encre qui ne connaissent pas encore le goût sucré-salé de la peau savoureuse des femmes. À mots couverts, ils se sont choisi un patron, leur professeur d'histoire. Pierre Favreau refuse d'arrêter les programmes imposés en 1918, les prolonge jusqu'à l'incendie du Reichstag et à la publication de *Mein Kampf.* Il ne fait pas mystère, entre deux phrases, entre les lignes, de sa détestation de l'idéologie hitlérienne. Bien avant de subir les foudres du régime de Vichy et d'être rétrogradé, il n'aura cessé de répéter à ses élèves : « Messieurs, je vous demande de m'écouter, pas de m'obéir. Ce pays va crever, si tout le monde obéit », d'une voix souple et chaude qui évoque à Jacques un animal vivant.

Les lycéens se réunissent pour la première fois, le 21 mai 1941, dans l'appartement des Lusseyran, boulevard de Port-Royal, en face de la maternité Baudelocque, où ils s'accroupissent sur le parquet autour de leur chef, dont ils attendent les ordres tandis que la cloche de la chapelle du Val-de-Grâce sonne gravement les heures. Le 14 juillet de la même année, ils seront cent quatre-vingts. Ensemble, ils choisissent de s'appeler les Volontaires de la Liberté et font officiellement enregistrer leur mouvement par Londres. Parmi eux, car il faut citer leurs noms, Jean Besniée, le frère spirituel, Jacques Oudin, Jean Sennelier et Pierre Bizos qui, tous, mourront en déportation.

Lorsqu'ils sont réunis chez lui, Jacques les entend le regarder et les écoute lui prêter serment. Son ouïe voit tout, ses oreilles sont des rayons. Sinon un jeune dieu, du moins l'officiant d'une messe basse célébrée pour les chevaliers inexpérimentés d'un ordre encore inconnu. On croirait les héros libertaires d'un poème d'Eluard projetés dans une pièce christique de Claudel.

2

Il en impose. « Sa personnalité subjuguait », se souvient encore aujourd'hui Jean-Marie Delabre. On le respecte. On mesure aussi le poids de son antinazisme à l'aune de sa germanophilie – il ne manque jamais une occasion de citer le « *Es lebe die Freiheit!* », le « Vive la liberté! », de Goethe. On se fie à son intuition, que la cécité rend plus redoutable encore : chargé seul du recrutement – « c'est le chef aveugle que mes camarades ont choisi en moi, c'est lui qu'ils ont cru » –, il sait, d'instinct, distinguer le brave du lâche, le téméraire de l'indécis, le loyal du félon, le raisonnable de l'halluciné.

Tous les prétendants à l'insurrection doivent

en effet se présenter à lui et se soumettre au rituel implacable d'un long entretien. Le garçon qui les reçoit voit « à travers la surface des gens » et pense qu'il existe une « musique morale », dont la voix est l'outil infaillible. L'accident l'a rendu phonologue. Il traduit l'inflexion molle de l'hypocrisie, le rythme saccadé de la panique, la scansion époumonée de l'hésitation ou le son cuivré du courage. C'est un juge hors pair, dont la mémoire phénoménale n'a jamais été plus utile, plus décisive : il connaît par cœur plus d'un millier de numéros de téléphone qu'il a appris avec la même facilité que les lettres de Cicéron ou le système des monades selon Leibniz. Son crédit et son ascendant sont d'autant plus grands qu'il ne laisse aucune trace visible de tout ce que, pour le lycée comme pour la Résistance, il enregistre et classe méthodiquement. Devant lui, les candidats, auxquels il assène que « le courage ne sera pas facile », n'en mènent pas large. Ils ont l'impression d'être mis à nu par cet adolescent de dix-sept ans plein d'Héraclite, de Platon, de Spinoza, de Bergson, de Freud, qui profère, dans la pénombre de sa chambre, des sentences et des verdicts de pythie : « La Résistance est une affaire de dignité, d'honneur. Et l'honneur n'est pas que dans la Patrie, mais dans tous nos actes. La Résistance, c'est la volonté de ne pas faire n'importe quoi, mais de faire quelque chose qu'on a choisi une fois, qu'on voudrait encore, même si l'on a été torturé, bafoué. »

Chaque matin, celui qui se définit comme un « soldat de l'idéal » est levé à quatre heures et demie. Il s'agenouille à la manière des croisés, et prie Dieu de lui donner la force de tenir ses promesses, d'aller au combat sans armes et sans trembler. Et puis il s'accoude au balcon pour sentir se lever ce soleil qu'il ne voit pas, mais dont il mesure l'ascension aux parfums tièdes et croustillants échappés, en spirales onctueuses, de la boulangerie voisine. Après quoi, il se jette avec passion dans ses livres en braille jusqu'à huit heures, où il se rend au lycée, la main sur l'épaule d'un camarade. Et à seize heures, il entre en résistance. Lui qui ne peut ni manier des armes, ni porter les journaux clandestins dans Paris, ni partir en repérage autour des bases militaires allemandes gouverne tous ceux qui vont agir pour lui, en son nom. Il charge ses jeunes troupes de passer des messages, parfois des mitraillettes, de fabriquer de faux papiers, mais aussi d'aller chercher les aviateurs alliés tombés dans la campagne d'Île-de-France afin de les ramener à Paris et ensuite de les exfiltrer. Avant de partir en mission, ils vont recevoir les ordres chez Lusseyran ; après les avoir exécutés, ils viennent lui rendre des comptes. Le jeune homme sans regard est le cerveau du mouvement. Son cœur battant, aussi.

Au lendemain de la guerre, on a souvent demandé à Jacques Lusseyran pourquoi, si tôt et si vite, il s'était engagé dans la Résistance. Tout aurait dû en effet l'en dissuader. Il était aveugle. Il habitait chez ses parents. Il avait encore l'âge d'étudier et l'ambition d'obtenir les plus prestigieux diplômes. Il éprouvait une vraie fascination pour la culture et la langue allemandes, que sa famille partageait. Et il n'était même pas nationaliste. Alors, quoi? Il y a simplement qu'il vécut la défaite de la France en cinq semaines et son occupation par les nazis comme un nouvel accident, un autre traumatisme. Neuf années après avoir perdu la vue, il perdait en effet son pays. C'était comparable, selon lui, à une seconde cécité: « Après la lumière extérieure, on m'ôtait la liberté extérieure. J'avais retrouvé la lumière, intacte, augmentée, au fond de moi. Cette fois, je voulais retrouver la liberté tout aussi présente et exigeante. J'ai su qu'une deuxième fois le destin attendait de moi le même travail. Car j'avais appris que la liberté, c'est la lumière de l'âme. Il n'y a pas d'autre cause à mon engagement dans la Résistance. » Oh, comme tout cela paraît simple et évident.

Après avoir obtenu son baccalauréat, section philosophie, avec mention Très bien, Jacques Lusseyran intègre, en septembre 1941, l'hypokhâgne de Louis-le-Grand, qui est l'antichambre de l'École normale supérieure, la voie royale des futurs professeurs. S'il rêve d'enseigner, il n'oublie pas de batailler. Chaque jour, il travaille en même temps à ses devoirs et à son devoir. Lorsqu'il a fini d'étudier le latin, le français ou l'histoire, il part discrètement pour la rue Cabanis, dans le quatorzième arrondissement, pour veiller à l'impression de petits bulletins de propagande, tirés à une centaine d'exemplaires. Car ils sont ronéotypés sur des machines dissimulées dans les cellules capitonnées de l'hôpital Sainte-Anne réservées aux grands agités, où nul Allemand n'aurait l'idée de pénétrer. Le fidèle Jean l'accompagne ensuite à l'Alliance française du boulevard Raspail, où certaines classes de Louis-le-Grand ont déménagé afin de pouvoir accueillir les élèves du lycée Montaigne occupé désormais par un corps d'élite de l'armée allemande. En marchant, ils devisent.

— La Résistance protège ceux qui la font.

— Tu as raison, elle interdit la saleté.

— Elle nous protège, elle est notre abri contre nous-mêmes. Elle est notre raison de vivre, notre chance gratuite, supplémentaire et juste d'être heureux...

Au début de l'année 1942, Jacques, dix-huit

ans, commande à plus de trois cents Volontaires de la Liberté, de longs adolescents que leur air faussement débonnaire met provisoirement à l'abri des suspicions, rend presque invisibles dans la grande ville, et il entend bien en profiter afin de donner une plus large audience à son journal clandestin, pour lequel il nourrit de grandes ambitions. C'est parce que la *Propagandastaffel*, afin de mieux diffuser l'idéologie hitlérienne, entretient l'illusion d'une presse pluraliste (sept quotidiens et huit hebdomadaires paraissent alors à Paris) que Lusseyran veut faire de sa modeste feuille un principe de vérité et un antidote aux discours collaborationnistes. Son objectif: « Faire comprendre les événements en les expliquant. » Le premier numéro du *Tigre*, ainsi nommé pour rendre hommage à Georges Clemenceau, sort sous le boisseau le 25 mars 1942. Les lycéens français vont en diffuser plus de deux mille exemplaires à la barbe de l'Occupant. Ils ne se promènent plus sans avoir préalablement glissé, sous leur chemise, une liasse de journaux. Ils se faufilent, tels des chats de gouttière, dans les immeubles parisiens pour les déposer dans les boîtes aux lettres, les distribuent à la volée dans les amphis de la Sorbonne, à la va-vite dans les rames de métro entre deux stations, voire sur le parvis des églises, à la sortie de la messe domini-nicale, où ils se mêlent à la foule avec des airs d'enfants de chœur avant de s'esbigner plus vite que des voleurs à la tire. Ils chargent aussi leurs camarades, quand ils retournent chez eux, en province, d'en prendre plusieurs paquets afin de propager *Le Tigre* dans les villes et les villages les plus excentrés. Un grand félin qui feule dans la campagne française.

5

En septembre de 1942, Jacques Lusseyran se présente devant son nouveau professeur agrégé de lettres. Âgé de cinquante-deux ans, Jean Guéhenno, l'auteur de *L'Évangile éternel* et de *Caliban parle*, porte une moustache noire, des lunettes rondes et il fume la pipe. Il tient un *Journal des années noires* où il a noté, dès le 22 juin 1940: « Je ne veux rien écrire ici de ces hommes gris que je commence à croiser dans les rues. C'est l'invasion des rats. » L'entente est immédiate entre le khâgneux aveugle et l'écrivain pour lequel « le bonheur n'est pas dans les livres, qui compliquent tout ». Fils d'un cordonnier de Fougères et d'une piqueuse en chaussures, ouvrier à quatorze ans, l'autodidacte Guéhenno a connu la misère, « la peur d'avoir faim », et il a réussi le concours de l'École normale supérieure après avoir étudié comme un forçat. Soutien actif du Front populaire, directeur de la revue *Europe*, puis de l'hebdomadaire *Vendredi*, proche du Parti communiste et encore marqué par l'autorité de Romain Rolland, il est devenu un bourgeois confortable, mais déchiré, qui à la fois craint le procès en déloyauté de ses anciens camarades d'usine et persiste dans la détestation organique des patrons de l'industrie.

Au lycée Louis-le-Grand, l'ancien officier d'infanterie, blessé au combat en 1915, enseigne à ses élèves, après avoir demandé qu'on tînt les fenêtres fermées, que la guerre est toujours « bête et criminelle » et que l'on n'est jamais assez fidèle à ses camarades morts. Ajoutant ses espoirs à sa mémoire, le fils de gens de peu assène à des khâgneux bien nés que la culture est révolutionnaire, dénonce l'art pour l'art, et refuse de considérer les humanités comme des bienfaits réservés à une caste de nantis. Il croit au sacerdoce du professorat et à la grandeur de sa mission, laquelle consiste à « maintenir ensemble la défense de l'aristocratie de l'esprit et le principe de l'égalité des chances ». Dans un Paris vert-de-gris, il enseigne le droit des peuples à être heureux. Jacques Lusseyran lui trouve une voix ancestrale qui a « les douceurs de Virgile, la bonhomie de Montaigne et la bravoure de Michelet ». Il boit les paroles de ce moraliste humble qui vante d'autant plus le devoir de se surpasser qu'il doute de ses dons littéraires et se dit sans cesse tenté par « la naïveté ». Il ignore que, dans la Résistance, Guéhenno s'appelle Cévennes comme Jean Bruller se nomme Vercors, mais il sait que jamais il n'a connu « maître aussi noble et d'une si totale conscience ».

Dénoncé par des élèves collaborationnistes, Jean Guéhenno, rétrogradé par le régime de Vichy, quittera son poste de professeur à l'automne de 1943.

6

Plus tôt, en février de la même année, les désormais six cents Volontaires de la Liberté rejoignent le réseau Défense de la France, dirigé par un géant, un volcan, un ouragan. « Un mètre quatre-vingt-huit, un tour de poitrine en bon accord avec la taille, des bras puissants, des mains broyantes, le pas rapide et lourd, un air de protection fraternelle sur toute sa personne. Là-dessus, une voix assez peu timbrée mais chaude, une voix qui se faisait presque tout de suite intime, qui vous palpait de l'intérieur, à cause de la conviction qu'elle portait. » Ainsi l'aveugle fait-il, le premier jour où il le voit sans le voir, le portrait de Philippe Viannay, vingt-six ans, catholique, ancien séminariste, ex-officier de tirailleurs marocains rallié au gaullisme après avoir cru, par atavisme familial, aux vertus du maréchal Pétain, qu'il créditait de jouer un double jeu. « En certaines circonstances, rien n'est plus facile que d'être un héros », martèle ce jour-là Viannay à Lusseyran. Et il ajoute : « Notre travail, c'est exactement celui des Français en 1789 au moment des États généraux. Il faut refaire les cahiers de doléances. Il faut une protestation massive. Mon journal peut la faire. »

C'est Robert Aylé, patron d'un réseau chargé de récupérer et d'exfiltrer des aviateurs alliés tombés sur le sol français, qui a été l'ouvrier de cette rencontre décisive. Car jusqu'alors les lycéens menaient des actions séditieuses et s'exprimaient avec un bulletin ronéotypé ; cette fois, ils font vraiment de la Résistance au sein d'un mouvement qui dispose d'un vrai journal, *Défense de la France*, imprimé sur une machine tchèque donnée par l'industriel normand Marcel Lebon (les tonnes de papier sont stockées dans l'usine du chocolatier Alphonse Bottin) ; d'une dizaine de locaux dans Paris, dont les sous-sols du laboratoire de géographie de la Sorbonne ; de plusieurs réserves d'armes ; d'un équipement radio en liaison permanente avec Londres ; de nombreuses camionnettes ; de machines capables de fabriquer deux mille cinq cents fausses cartes par mois et autant d'affiches pour les F.F.I. ; de stylos lacrymogènes et d'une cinquantaine d'agents. Jacques, à qui est désormais épargnée la solitude du commandement, découvre et rejoint des professionnels de la clandestinité. Ce qui ne l'empêche pas de préparer avec assiduité le concours d'entrée à l'École de la rue d'Ulm. Malgré son statut d'invalide, qui lui interdit officiellement d'être candidat, il a en effet obtenu une dérogation exceptionnelle. Et il compte bien en profiter.

Les épreuves écrites d'histoire et de littérature française sont prévues pour le 29 mai. Il rédige et remet, ce jour-là, ses deux « compositions ». Il en est plutôt content. Il s'imagine déjà parmi les meilleurs classés. Le 1er juin – jour où est créée, pour combattre la Résistance, la Franc-Garde de la Milice – est dévolu au thème latin. Sa machine de braille à la main, il s'assied

72

dans la salle d'examen, s'entend dicter le sujet, et se met activement au travail. Surgit alors une surveillante qui lui ordonne aussitôt de sortir après avoir exhibé une lettre, signée par Abel Bonnard soi-même, le ministre de l'Instruction publique du gouvernement de Vichy, qui ne reconnaît pas la dérogation et interdit à l'élève aveugle de se présenter au concours. Un décret, rédigé par l'historien de la Rome antique Jérôme Carcopino (directeur de l'École normale supérieure, il est aussi secrétaire d'État à l'Éducation), et promulgué le 1er juillet 1942, ferme en effet aux aveugles, manchots, unijambistes, bossus, à tous ceux dont le corps est « difforme » ou n'est pas « entier », les portes de l'enseignement, mais aussi de la magistrature, de la diplomatie et de l'administration financière. Malgré la rumeur de réprobation qui monte de table en table et le bruyant témoignage de solidarité de ses camarades – « Bonnard, crient-ils, est un forban, une fripouille, un salaud, un corniaud entêté ! » –, l'impétrant est exclu, reconduit à la porte comme s'il avait triché, empêché de prouver non seulement sa bonne foi, mais aussi son excellence. « Pour la première fois de ma vie, on me refusait, pas en tant que personne, mais en tant que catégorie humaine. » *Aux yeux* du régime discriminatoire de Vichy, il est un sous-homme, un moins-que-rien, un décérébré. Et un mauvais Français, non pas en raison de son action dans la Résistance, mais de sa cécité.

Il part la tête haute, envisage un recours

auprès du Conseil d'État, y renonce, et se fait la promesse de revenir, un jour, dans cette classe afin de pouvoir faire ses preuves et porter ce beau titre de normalien auquel il aspire tellement.

7

Désormais dégagé, à son corps défendant, de ses obligations scolaires, Jacques Lusseyran, qui pense, avec Bernanos, que « l'honneur est un instinct, comme l'amour », se consacre entièrement à son activité de résistant. Il a beau prétendre qu'il n'a pas « l'âme guerrière », il en a du moins l'intelligence. Il est admis au comité directeur du journal *Défense de la France*, créé le 14 juillet 1941 par Philippe Viannay et Robert Salmon, où prévalent des valeurs chrétiennes et où siègent notamment Hélène Viannay, Charlotte Nadel, Jacques Oudin, Geneviève de Gaulle et celle qui, à la Libération, deviendra sa femme : Jacqueline Pardon. Parmi les rédacteurs occasionnels, on trouve un académicien, Robert d'Harcourt, un professeur aux Hautes Études, Alphonse Dain, et un évêque, curé de Saint-François-Xavier, Mgr Chevrot.

Dans ce journal (une ou deux pages recto verso de format 50 × 32 cm) dont l'exergue est empruntée à Pascal : « Je ne crois que les histoires dont les témoins se feraient égorger », Philippe Viannay signe Indomitus (l'indompté, l'indomptable), Robert Salmon devient Robert Tenaille, Jean-Daniel Jurgensen s'appelle Jean Lorraine, Geneviève de Gaulle est Gallia et Jacques Lusseyran, Vindex. C'est lui, garçon de dix-neuf ans en rupture de ban, qui a été désigné pour rédiger l'éditorial du numéro 36, daté du 14 juillet 1943. Il s'exécute avec rage :

La France risque de tomber en esclavage. Aussi importe-t-il plus que jamais de reconnaître ce qu'est la Liberté, de célébrer la fête du 14 Juillet. Chaque jour, notre indépendance est humiliée par l'ennemi ; chaque jour, devant sa propagande de mensonges, notre bon sens proteste, mais notre bonne foi, désireuse de preuves qu'elle n'a pas toujours, hésite et se trouble. L'ennemi veut diminuer notre conscience morale ; il veut nous faire oublier notre devoir de révolte [...]

Ceux des prisons qui attendent, en otages, pendant des mois entiers que "la victoire" ou la mort les délivre, connaissent le prix de la liberté. Ceux qui, sous les tortures, taisent les noms et les secrets des leurs, ont perdu pour eux-mêmes la liberté, ils veulent la conserver aux autres. Tous ces héros font de leur volonté d'être libres une révolte de la conscience du pays. Ils parlent pour tous ceux qui se taisent. Ils mènent un combat aux moyens obscurs, mais à la fin glorieuse, car leurs efforts, dont ils courent seuls les risques, sont la défense de tous. Ils ont choisi leur combat : *ils sont des volontaires.*

Ils savent, eux, qu'être libre, c'est se fixer un but, au regard de sa conscience, et le poursuivre malgré tous les empêchements. Ils veulent encore s'attacher à de grandes causes, et montrent à tous que la seule liberté qu'il soit possible aujourd'hui de mettre en actes, c'est la libération du pays !

Certains, dans leur indifférence ou leur éloignement de la lutte, ne voient auprès d'eux aucun martyr. *Nous voulons que leurs yeux s'ouvrent enfin.* C'est pour apprendre aux faibles à reconnaître le combat des forts que le 14 Juillet mérite d'être célébré.

Il faut qu'en ce jour tous les Français, entraînés par les hommes libres que le pays possède encore, décident de se rallier à la défense de la liberté. Alors, la France sera fidèle à elle-même. Nous voulons que la défense de notre nation soit celle de toutes les nations. En défendant la France, nous défendons aussi la personne humaine et sa liberté de choisir et d'oser. Il faut, plus que jamais, qu'il soit encore possible aujourd'hui de dire, comme le disait en 1790, sur le pont de Kehl, un écriteau désignant la France : "Ici commence le pays de la liberté."

VINDEX.

La veille de la fête nationale, « fête de la Résistance », avec une poignée de camarades qui l'escortent et lui tiennent le bras, Jacques a fait inscrire sur un mur, au coin de l'avenue de l'Observatoire et de l'avenue Denfert-Rochereau, le slogan qui annonce son éditorial : « Combattre avec Défense de la France, c'est combattre pour la Libération. » Les lettres ont été tracées au goudron, dont le seau avait été caché sous une paillasse du laboratoire de chimie, boulevard de Port-Royal, où travaillait son père, Pierre Lusseyran.

Le lendemain, ce numéro historique de *Défense de la France* est « distribué en pleine rue, face à l'ennemi ! », mais aussi dans le métro et les boîtes aux lettres. À côté de l'éditorial de Vindex, Philippe Viannay-Indomitus annonce que, en ce jour d'espoir, de fierté, de confiance et d'unité, la défaite de l'Allemagne est imminente, que l'Alsace-Lorraine sera « retrouvée » et que défile-ront bientôt, sous l'Arc de triomphe, « de Gaulle, Giraud, l'armée de la Résistance, les Forces françaises libres, avec Leclerc et ses spahis, avec Kœnig, l'armée d'Afrique, les avions à croix de Lorraine volant au ras des toits, et les marins du *Richelieu* ». Une colonne rappelle les récents faits d'armes des guerriers clandestins : un général allemand abattu rue Maspero ; un détachement cycliste « boche » attaqué au pont de Saint-Ouen par des F.T.P. ; un autocar chargé de sous-officiers ennemis grenadé rue Mirabeau ; un train de marchandises déraillé sur la ligne Paris-Dreux par le détachement Guy-Môquet ; ou encore un recruteur de la L.V.F. et trafi-quant du marché noir pendu en Eure-et-Loir. Un encadré rappelle d'ailleurs que la lecture de *Défense de la France*, dont ce numéro fut écoulé à plus de deux cent cinquante mille exemplaires, est déjà un acte de résistance : « Faites circuler ce journal. Notre tirage est fonction de votre cou-rage ! »

Le 15 janvier 1944, le quarante-troisième numéro de *Défense de la France*, qui comportait quatre pages, fut tiré à quatre cent cinquante mille exemplaires. Aucun autre journal clandestin, sous l'Occupation, n'avait atteint un tel chiffre.

8

Six jours plus tard, le 20 juillet 1943, à cinq heures trente du matin, on frappe brutalement à la porte des Lusseyran, boulevard de Port-Royal. Le père va ouvrir et réveille aussitôt son fils. Il n'est pas étonné. « La police allemande te demande. » Deux officiers et quatre soldats fouillent les pièces, éparpillent sur le parquet des centaines de feuilles en braille, et emmènent l'aveugle en le tenant par le bras. Il est impassible, et même soulagé de comprendre que ni ses parents ni son petit frère ne seront inquiétés. Pierre Bonny et Henri Lafont, les chefs de la Gestapo française de la rue Lauriston, ont ordonné son arrestation, grâce à une dénonciation. Un étudiant en médecine, Émile Marongin, infiltré dans *Défense de la France* sous le pseudonyme d'Elio – Serge pour les Allemands –, dont Jacques avait pourtant jugé suspectes une poignée de main « trop lourde » et une voix « trop basse », avait remis à Pierre Bonny un rapport de quatre-vingt-dix pages. Il contenait les noms des résistants et l'adresse de la librairie *Au vœu de Louis XIII*, 68 rue Bonaparte, qui servait de boîte aux lettres au mouvement, mais aussi d'entrepôt de faux papiers. Elle était tenue, ironie du sort, par une certaine Mme Wagner. Le même jour, Jacqueline Pardon, Geneviève de Gaulle, Hubert Viannay, le frère de Philippe, Jean Besniée, Jean-Marie Delabre, une soixantaine d'autres encore, sont conduits, en camions cellulaires et en tractions avant noires, rue des Saussaies, siège de la Gestapo allemande.

Jacques Lusseyran a beau répéter : « *Ich bin der Blinde* », il est insulté, secoué, molesté, et menacé. On lui promet les douches des caves, les pinces du grenier, les fouets, les appareils électriques, et même la condamnation à mort. On l'enferme toute la nuit dans un W.-C., où il lit le seul ouvrage en braille qu'il ait pu emporter, le troisième volume de l'*Introduction à la philosophie*, de René Le Senne. Parvenu au chapitre consacré à Emmanuel Kant, il détaille, à haute voix, les arguments de la *Critique de la raison pure*. C'est la manière qu'il a trouvée pour repousser la peur et croire encore à la suprématie de l'esprit. Penser, c'est résister. Faire travailler son intelligence, c'est donner du courage à son corps.

Interrogé au petit matin, lui qui parle couramment l'allemand confirme les faits contenus dans le rapport, qu'on lui a communiqué, du traître Marongin. Il comprend que la meilleure défense n'est pas le silence, mais au contraire la loquacité et l'apparente sincérité. Car le bavard n'est jamais suspect. Il peut pallier les tremblements des mains par la fermeté de l'esprit, dont les dépendances sont innombrables et invisibles : la ruse, la rodomontade, le mensonge, la comédie, l'affabulation. Ce qui lui permet non seulement de taire tout ce que ses bourreaux ignorent et de leur avouer ce qu'ils savent déjà, mais aussi, pour les embrouiller davantage, de leur donner des noms de complices imaginaires et d'inventer, par exemple, des surprises-parties à Saint-Germain-en-Laye, où il n'a jamais mis les pieds. Il doit, sans montrer la moindre hésitation, improviser son texte, échafauder dans la hâte des scénarii plausibles, se fabriquer des souvenirs, plaider l'inconséquence risible de la jeunesse chimérique (on ne tue pas ceux dont on rit) et feindre d'en rajouter dans la franchise. À ce jeu, il est très doué. La khâgne l'a formé à l'art de la rhétorique et à la comédie de la dialectique. Heureusement.

Car les Volontaires de la Liberté s'étaient préparés à tout, sauf à l'épreuve du tribunal. Ils avaient appris à se battre contre l'ennemi, à le narguer, à l'épuiser, à le tromper, mais ils avaient négligé la pourtant probable hypothèse de leur capture et de leur procès expéditif. Ils étaient trop stendhaliens pour élaborer, à l'avance, une stratégie de la garde à vue, pour prévenir la torture morale et physique. Leur idéalisme avait méprisé ce réalisme-là. « Quand j'avais été vers eux et eux vers moi, se souvient Lusseyran, souvent nous n'avions rien dit ; nous n'avions pas fixé de condition à notre entente ; nous n'avions pas prévu de la briser jamais ; nous avions dit, à peine, ce que nous ferions. Nous avions mêlé nos vies, simplement. » La mort n'existait pas. Ils l'avaient rayée de leur calendrier intérieur. Ils étaient si jeunes...

Après ce premier interrogatoire, Jacques est emmené dans la banlieue sud de Paris et incarcéré à la prison de Fresnes, deuxième division, au milieu de sept mille détenus répartis sur cinq étages, la plupart des résistants. Fresnes, où Berty Albrecht, la fondatrice du Mouvement de Libération nationale, et pour ne pas parler sous la torture, vient de se pendre, le 31 mai 1943, et où seront envoyés, à l'automne, les membres de l'Affiche rouge, dont Missak Manouchian. Malgré l'intervention du proviseur de Louis-le-Grand pour l'en sortir, Jacques y restera six mois, jusqu'au 17 janvier 1944, sans cesser d'être envoyé, une quarantaine de fois, à la Gestapo de la rue des Saussaies, pour y être mis à la question et tabassé par des S.S.

9

De sa longue incarcération à Fresnes, Jacques Lusseyran tirera, dix ans plus tard, un roman, *Le Silence des hommes*. Il n'y a pourtant rien de fictif dans ce témoignage, sinon les noms des autres détenus. Sans doute l'écrivain voulait-il signifier que, fût-elle exceptionnelle, la mémoire réinvente toujours un peu ce qu'elle s'applique à conserver et à perpétuer. Il a d'ailleurs toujours pensé que l'autobiographe était un romancier.

Il faut imaginer, au milieu des années cinquante, cet homme libre, encore jeune, qui vient de rencontrer sa deuxième femme et donne des conférences dans toute l'Europe, obligé soudain de revivre chaque jour, afin d'en laisser une trace, une expérience traumatisante, la première de toutes celles qu'il va connaître : l'enfermement dans une cellule froide et humide de quatre mètres sur trois, où la table est scellée, la chaise fixée au mur par des anneaux de métal rouillé, et dont – cela paraît inconcevable – l'obscurité devient insupportable à sa cécité.

« À dix-neuf ans, écrit-il, je rencontrais la souffrance. Elle me faisait peur. » Lui qui ne craignait rien jusqu'alors est en effet saisi par la panique. Lui qui était entré dans la Résistance pour accomplir son rêve d'une fraternité de roman d'aventures se sent soudain orphelin. Lui qui vivait dans le monde des idées, parmi lesquelles l'insoumission figurait la plus haute et la plus exigeante, était maintenant rattrapé par le principe de réalité et le prix à payer pour sa bravoure. Lui qui s'était habitué à vivre en groupe, à avoir toujours une épaule sur laquelle poser sa main, se retrouve seul, vertigineusement seul. Lui qui, même au plus fort de son engagement dans la Résistance, dormait le soir dans le lit douillet d'un appartement bourgeois, doit s'allonger sur une paillasse en lambeaux qui exhale un remugle de salpêtre et d'excréments. Lui qui, afin de visualiser le monde, avait affiné son odorat dans les jardins parisiens et les prairies angevines étouffe dans une prison qui sent « la campagne asphyxiée », « la grange pourrie », où la saleté de son propre corps l'empêche de déchiffrer et d'ordonner les odeurs environnantes. Lui qui avait fini par dessiner et se représenter à la perfection l'espace privé et public dans lequel il se déplaçait ne sait plus où il se situe, incapable d'interpréter la masse verticale qui se dresse derrière les barreaux, de percer le mutisme, « creux et mou comme une eau morte », tendu contre les murs de sa cellule, ou de donner une forme cohérente au puits sonore creusé sous sa fenêtre. Les cris des hommes qu'on torture, les bruits des verrous qu'on ferme, les crissements des camions cellulaires, suivis par d'interminables silences qui provoquent dans ses oreilles des sifflements suraigus, le jettent dans une détresse, un désarroi, une incompréhension auxquels, bien qu'il prétendît le contraire, le lycéen de Louis-le-Grand n'était pas préparé.

Il ne voyait plus depuis ses huit ans, mais c'est à Fresnes qu'il est vraiment devenu aveugle. Même son puissant regard intérieur ne pouvait pas traverser l'épaisse muraille d'une geôle. Soudain, il n'y avait plus de lumière au fond de lui. Et bientôt, dans un camp de concentration, il verrait ce que son regard sans vie lui avait jusqu'alors épargné : le repoussant spectacle de la laideur des hommes.

Il se serait sans doute laissé tomber si, dans les premiers jours de sa détention, un aviateur canadien, surgi de la pénombre de la cellule où il se croyait seul, ne lui avait récité quelques phrases du *Nouveau Testament* en prétendant que le Christ avait rendu la vue aux aveugles, et que la mort des uns faisait se lever la vie des autres : « Ils vont me fusiller. Je vous vois. Je ne verrai plus maintenant d'homme que j'aime. Vous vivrez. » Avec ce « vous vivrez » prononcé par un condamné à mort, Lusseyran recommença, en prison, à résister et à croire qu'il en sortirait, qu'il s'en sortirait.

10

C'est à un garçon, prénommé Lucien, croisé à Fresnes, qu'on doit, selon moi, la plus juste et la plus belle métaphore de l'aveugle Lusseyran. « Tu sais, lui dit-il, à quoi tu me fais penser ? À la Camargue ! Dans mon pays, il y a des chevaux. Eux, ils t'écoutent, ils te regardent. Quand tu es distrait, ils le savent. Si tu es dur avec eux, ils n'obéissent plus. Tu n'as plus le droit d'être égoïste, plus le droit d'être injuste. »

Le cheval est un médium. Il est doué d'un sixième sens. Il sent tout, il sait tout de nous, même ce que l'on lui cache. Nos douleurs enfouies, nos regrets et nos remords inavoués, il les décèle et les porte sur son dos large, impassible et musculeux. Il sait reconnaître, à son poids, à son usage des aides, au battement de son cœur, le prétentieux, le modeste, le courageux, le craintif, le sourcilleux, l'inconscient. Il est indulgent avec les fragiles, mais ne passe rien aux acrimonieux. Il n'a pas besoin de voir pour comprendre – son champ visuel est très étendu sur les côtés, mais réduit vers le bas, et sa perception des couleurs limitée. Il ne donne qu'à proportion de ce qu'on lui offre. Il se confie seulement à qui veut bien, en silence, se confier à lui. Il respecte qui le respecte. La solitude le déprime. C'est un être très sociable, mais pas mondain. Il exige du tact, réclame de la complicité, demande qu'on murmure à son oreille, ne progresse que dans l'insinuation et la délicatesse. À condition qu'on l'aime, il est capable d'exploits extraordinaires. Il est équitable, et l'iniquité lui fait horreur: les ordres irraisonnés le bloquent, les commandements violents le braquent, les punitions injustes le révoltent, mais la générosité décuple ses forces. Il est la version animale du juge de paix. Et il n'oublie rien du bien ou du mal qu'on lui a fait. Car sa mémoire est prodigieuse, qui se love dans le moindre petit détail. Le cheval est un voyant hypermnésique. Lui aussi a un regard intérieur. Et la nuit, sa complice, ne lui fait jamais peur.

Cette confidence, aussi, lâchée par un camarade de détention avant le grand départ pour l'Allemagne, et dont Jacques Lusseyran va faire sa devise : « Il faut tout mettre à l'envers. Apprendre à mourir n'a pas de sens. Ce qu'il faut, c'est apprendre à vivre. »

Lorsque, à la mi-janvier de 1944, il apprend en effet qu'il va être déporté à Buchenwald, il ne cache pas sa joie. « Ce nom-là gonflait ma vie. J'étais plus grand. J'étais capable de mystère. Je n'avais absolument plus peur. » La rumeur qui court de cellule en cellule veut que le camp ne soit pas situé dans une plaine marécageuse, mais sur une colline boisée de Thuringe, où la nature serait joviale et le soleil se lèverait avec entrain. Buchenwald, joli mot, ne signifie-t-il pas « forêt de hêtres » ? En ce temps-là, temps d'ignorance, le germaniste trouve à ce nom la puissance grondante d'une « tempête immobile ». Et puis, non loin, il y a la ville de Weimar, ce sanctuaire de l'anthroposophe Rudolf Steiner, cette capitale allemande de la littérature, où ont vécu Goethe, Schiller, Nietzsche, ce temple de la musique, où Bach fut organiste et premier violon soliste, où Liszt et Strauss furent maîtres de chapelle. Et puis la perspective de ce transfèrement signifie sa survie, fût-elle provisoire. Sa nuit n'est donc pas la dernière. Ses jours ne sont donc pas comptés. Même s'il y a l'enfer au bout, il est prêt pour le voyage. Le grand voyage.

Les armées allemandes ont perdu les batailles de Stalingrad et de Koursk. Le maréchal Paulus a été fait prisonnier par les Soviétiques. Les Alliés gouvernent depuis six mois toute l'Afrique du Nord. En Italie, le Duce vacille. Et à Téhéran, en novembre 1943, Roosevelt, Churchill et Staline ont dessiné la carte de l'après-guerre. Au loin, le ciel s'éclaircit, le nouveau monde s'annonce, l'année 1944 sera décisive : en France, à la Saint-Sylvestre, on se souhaite et se promet de vivre libres. C'est alors que l'homme-enfant Jacques Lusseyran est déporté.

On a récemment rassemblé et publié les dernières lettres de tous ces résistants français qui n'avaient pas vingt ans – quinze pour le plus jeune – et qui, avant d'être conduits devant le peloton allemand, ont dit adieu à leur famille. Dans le civil, ils étaient ouvriers métallurgistes, cheminots, mineurs, ajusteurs, maçons, agriculteurs, charpentiers, ou simplement lycéens, avec des gueules d'ange et un même air crâne. Ils avaient saboté des voies ferrées, planté un drapeau tricolore au sommet d'une cathédrale, fabriqué des tracts, diffusé des photos du général de Gaulle, abattu des Allemands. Ils étaient agents de liaison, communistes clandestins, membres des F.T.P.-M.O.I., ils appartenaient au Réseau du musée de l'Homme, à Combat, Alliance ou Défense de la France. Incarcérés, torturés, ils furent fusillés à Châteaubriant, au mont Valérien, au stand de tir du Bêle, près de Nantes, entre 1941 et 1944. Avant leur exécution, ils rédigèrent, avec de maigres crayons de guerre, au fond de leur cellule, une lettre testamentaire.

Ce qui frappe, c'est que jamais la main ne tremble. Ces gamins ont un courage fou. Moins ils ont fait d'études, plus ils ont des convictions d'airain. Chrétiennes pour les uns, communistes pour d'autres, patriotiques pour tous. Les mots qui reviennent sans cesse claquent comme des balles : honneur, devoir, idéal, et leur inflexible corollaire : « Vive la France ! » « Je saurai mourir comme meurt un Français », écrit à ses parents Henri Gautherot, un ouvrier de vingt et un ans qui, lors d'une manifestation organisée par la Jeunesse communiste, avait été blessé alors qu'il détournait le canon d'un revolver allemand pointé sur le jeune Pierre Daix. À sa fille, Hélène, Marcel Bertone, vingt-deux ans, martèle depuis sa prison de la Santé : « Ton papa est mort en criant "Vive la France". » Pierre Grelot, dix-neuf ans, est « fier de mériter cette peine ». Arthur Loucheux rassure sa femme : « Nous sommes très calmes, nous mourrons en soldats, bravement. » L'abbé Moyon, qui a assisté, en octobre 1941, les vingt-sept fusillés de Châteaubriant, parmi lesquels Guy Môquet, dix-sept ans, raconte comment ils ont refusé de se faire bander les yeux et ont chanté, sans trembler, *La Marseillaise*. Tous sont des frères de Jacques Lusseyran. Tous lui ressemblent et l'escortent dans la nuit des temps.

Ils ont la certitude que leur jeune mort servira, qu'elle est la promesse d'une revanche et d'un salut. Henri Fertet, un lycéen de seize ans qui a participé à de nombreuses actions de résistance (prise d'un dépôt d'explosifs, destruction d'un pylône à haute tension, attaque d'un commissaire des douanes allemand), écrit à ses parents, avant d'être passé par les armes à la citadelle de Besançon, une lettre d'une exceptionnelle maturité : « Je meurs pour ma patrie, je veux une France libre et des Français heureux, non pas une France orgueilleuse et première nation du monde, mais une France travailleuse, laborieuse et honnête. Que les Français soient heureux, voilà l'essentiel. Dans la vie, il faut savoir cueillir le bonheur. » Recopiée par des mains anonymes, ronéotypée par les journaux clandestins, elle est lue, à la radio de Londres, par Maurice Schumann, la gorge serrée.

Quand les condamnés sont avertis de leur exécution, il ne leur reste que trois ou quatre heures à vivre. La plupart sont d'une sidérante sérénité. « Si tu savais comme je suis calme, maman chérie », écrit Robert Busillet, dix-neuf ans, membre d'un réseau gaulliste de renseignement et de sabotage. « On sent qu'on n'appartient plus à la terre. J'entends de la musique qui charme tout, on dirait que ce sont des fantômes.

Tout à l'heure, je vais me reposer sur la douceur moelleuse du sommet », explique le communiste corse Jean Nicoli dans une lettre admirable. D'aucuns vont même au supplice comme on monte au front, avec exaltation. Ils ont tant souffert du froid et de la faim, ces enfants, tellement été frappés à coups de nerf de bœuf par les policiers français et martyrisés par les nazis, que leur mort leur semble une délivrance et, parfois, une victoire. « C'est la réalisation du grand amour, l'entrée dans la vraie réalité », écrit Boris Vildé, du Réseau du musée de l'Homme.

S'ils prétendent ignorer l'angoisse, s'ils se veulent plus forts que leurs ennemis, ils souffrent en revanche de la souffrance des leurs. Michel Dabat, vingt ans, à sa « petite maman » : « Je vous demande pardon de tout le chagrin que je vous ai causé. » Ils s'excusent de devoir mourir. Ils ne regrettent pas de s'être battus, ils se reprochent, en disparaissant dans la fleur de l'âge, d'abandonner des fiancées, des bébés, d'avoir entraîné leur famille dans le supplice, de ne pouvoir leur léguer, en fait de fortune, qu'une image de héros promis à l'oubli. En post-scriptum, ils préparent un avenir dont ils savent désormais qu'il se déroulera sans eux. Ils ont le souci de ne pas devenir des morts encombrants : « Sois heureuse dans les bras d'un autre », prédit à sa femme Félicien Joly, un instituteur de vingt-deux ans.

Ceux qui vont mourir n'oublient rien, ce sont des condamnés méticuleux. Ils distribuent qui une chevalière en or, qui une paire de lunettes, qui une mèche de cheveux, qui de précieux volumes de la Pléiade. Jacques Grinbaum confie son cheval à ses sœurs : « Il vous aidera. » Lucien demande qu'on n'oublie pas les souliers qu'il avait confiés, afin de les réparer, au cordonnier : « Tu les donneras à Maurice. » Un autre a ce mot merveilleux : « Pour mon complet, vous pourrez le faire ajuster pour Jean, justement il en a besoin. » Oh, ce « justement il en a besoin », quelques minutes avant d'être fusillé, comme il est déchirant. Quant à Robert Beck, resté silencieux sous la torture de la Gestapo, exécuté en 1943 à la Santé, il s'inquiète de l'imminente livraison de ses pommiers cordons et de ses groseilliers, donne des conseils d'entretien et de taille, supplie qu'on n'oublie pas les noyers – « attention aux racines qui sont horizontales » –, et part avec le sentiment que les arbres fruitiers rappelleront son souvenir plein de sève à ceux qui l'ont aimé.

Jamais ces lettres, il est vrai soumises à la censure, ne sont l'occasion de haïr ceux qui vont les tuer. Félicien Joly, qui raconte avoir vu des larmes dans les yeux des soldats qui le gardaient, veut croire dans le futur à une autre Allemagne : « Salut aux fils de Goethe, aux frères de Werther ! » Et Guido Broncadoro, mineur de vingt-deux ans, depuis la prison de Loos-lès-Lille : « Ce sont les Français qui me livrent, mais je crie : "Vive la France", ce sont les Allemands qui m'exécutent, mais je crie : "Vive le peuple allemand et l'Allemagne de demain". » On pense enfin à Jean Prévost, qui, avant d'être mitraillé par les nazis dans les gorges d'Engins, le 1er août 1944, écrivait trop aimer la nation de Schiller, de Heine, de Brecht, pour n'avoir pas le droit, et surtout le devoir, de lui pardonner déjà.

NUIT ET BROUILLARD

1

Même l'aveugle, oubliant son handicap, capitule : « Je ne vais pas vous montrer Buchenwald, personne n'a jamais pu le faire », écrit-il dans *Et la lumière fut*. Le suggérer, peut-être. Le montrer, non. Ce n'est pas la cécité qui l'empêche de décrire ce qu'il a vécu, c'est l'impossibilité de désigner ce que l'entendement ne saurait concevoir et que la raison place en dehors – en dessous, au-dessus ? – de son champ d'action. Cette phrase est aussi la meilleure réponse aux cinéastes qui, tel Steven Spielberg dans *La Liste de Schindler*, ont cru pouvoir représenter ce qui est innommable : la Shoah, filmer les camps d'extermination comme un parc de dinosaures ou une mer de requins, ont demandé à des figurants maigres de mimer « douloureusement » l'entrée processionnelle dans les chambres à gaz, et ont mis des images sur ce que même les nazis, soucieux de ne laisser aucune trace de leurs crimes contre l'humanité, n'avaient pas voulu donner à voir.

« Je ne vais pas vous montrer Buchenwald », écrit le prisonnier sans yeux, laissant ainsi accroire qu'il aurait, s'il l'avait voulu, la faculté de représenter la géhenne où il fut plongé. Mais, après avoir bien réfléchi, il a fait un choix qui n'est pas sans évoquer une version tragique du mot fameux de Bartleby : « *I would prefer not to...* »

En somme, il doit à son infirmité un supplément de dignité. Ne pas voir oblige. On n'a jamais mieux touché du doigt l'horreur concentrationnaire qu'à travers le regard mort d'un vivant d'à peine vingt ans.

2

Après avoir été conduit au centre de tri de Compiègne-Royallieu, où il passe de main en main, d'une baraque à l'autre, où chaque prisonnier veut toucher l'aveugle comme s'il portait bonheur, Jacques Lusseyran est transféré à Buchenwald, dans un train de vingt wagons de marchandise en bois où se serrent, debout dans l'obscurité fétide, deux mille Français. Ils ont chanté *La Marseillaise* et *Ce n'est qu'un au revoir* avant d'y être poussés brutalement par des Allemands en armes. Du train, à la hauteur de Pierrefitte-sur-Seine, Jacques jette sur les rails une lettre écrite le 16 janvier 1944 et destinée à ses « chers parents », 88 boulevard de Port-Royal, Paris V^e, pour les assurer que sa santé et son moral sont « excellents ». Elle arrivera à destination, accompagnée d'une carte de M. Daniel Pédrono, datée du 19 janvier : « Étant employé de chemin de fer, en visitant les voies, j'ai eu l'agréable surprise de trouver une lettre, certainement de votre fils, laquelle je vous ai envoyée immédiatement. J'espère que vous l'avez reçue. Bien à vous. »

Après un voyage de trente-six heures qui passe par Soissons et Nancy, Jacques pénètre à Buchenwald, le 21 janvier 1944, sous une neige abondante, des coups de crosse et les aboiements des chiens-loups. Il se tient, pour marcher, à un déporté qui lui lit, en passant sous le portail, l'inscription en fer forgé : « *Jedem das Seine* », « À chacun son dû. » Il porte le matricule 41978.

Dès l'arrivée au camp, les soldats retirent aux prisonniers politiques leurs vêtements, leurs alliances et, à ceux qui en portent, leurs appareils orthopédiques. Ils sont ensuite plongés dans un bain désinfectant de xylol et enfin tondus de la tête aux pieds. Un Polonais dissuade Jacques de dire qu'il est étudiant – « S'ils savent que tu es un intellectuel, ils te liquident » – et lui invente une profession qui le sauvera : interprète français-allemand-russe. « Je suis devenu interprète, non pas entre les nazis et mes camarades, mais entre mes camarades eux-mêmes. Dans cette société internationale saisie par la peur, il était très important de parler plusieurs langues. J'ai établi des liens, j'ai transmis des messages, j'ai écouté les communiqués mensongers du Quartier général de l'armée allemande, et je les ai expliqués, déchiffrés, corrigés pour les camarades. Cet emploi m'a donné une place parmi eux. Je n'ai plus été un infirme. »

On le jette dans le Block des invalides du Petit Camp, qu'il appelle aussitôt « la poubelle », où l'on entre à la seule condition de n'être pas entier. Y sont rassemblés, entassés plutôt, mille cinq cents culs-de-jatte, manchots, sourds-muets, paralysés, trépanés, asthéniques, épileptiques, syphilitiques, dysentériques, fous, tuberculeux, cancéreux, impotents rongés par la gangrène ou la gale, et dont les nazis ont divisé les rations alimentaires par deux, voire par trois. Les cris le disputent aux souffles courts et aux grognements de bêtes poussées vers l'abattoir. Dans la masse gémissante, où il rampe pour se faire un trou, les mains de l'aveugle ne rencontrent que des moignons, des chairs molles, des plaies vives, et parfois touchent déjà des cadavres. La puanteur y est si forte, dit-il, que « seule l'odeur du crématoire, qui fumait jour et nuit, parvenait à la couvrir ». Relativité des odeurs, relativité de l'horreur.

3

Dès son arrivée à Buchenwald, Jacques comprend qu'on lui vole son pain, son malheureux quignon de pain sec. Il ne tarde pas à trouver le coupable. « C'est un coquin, un voyou, un fainéant, un mauvais sujet », persiflent les autres prisonniers du Block. Louis Onillon a vingt-cinq ans, une tête brûlée, une jambe de bois, une petite cervelle, un langage limité (« son moignon parlait, il disait tout ce que l'homme ne savait plus dire ») et il n'a en effet aucun scrupule. Après chaque distribution, il dérobe la maigre pitance de l'aveugle. Un jour, Jacques lui fait savoir qu'il sait. Mais, au lieu de le lui reprocher, il propose de devenir son ami. En guise de réponse, Louis partage aussitôt sa couverture avec celui qui était sa victime, et dont il décide dorénavant d'être le garde du corps. Les deux garçons se découvrent, en Anjou, des origines communes. Ce sont des pays. Louis est cordonnier. Il raconte, avec le peu de mots dont il dispose, comment il est devenu infirme. Sur une route, le long de la Loire, un camion dérapa, un soir d'hiver, le percuta, sectionna sa jambe, le projeta au-dessus du parapet jusque dans le fleuve, où il fut repêché alors qu'il avait perdu connaissance. Désormais, ils ne se quittent plus, partagent, dans le box 2, la même paillasse de soixante-dix-sept centimètres de large, et se soutiennent sur le boulevard des Invalides – ainsi appelle-t-on l'artère centrale du Petit Camp.

Mieux Jacques apprend à connaître Louis, plus il le trouve bon avec les désespérés, charitable avec les malades, maternel avec les mourants, et mieux il s'amuse des efforts qu'il déploie pour paraître méchant, pour être fidèle à son image de filou, de tricheur, de ricaneur et de kleptomane. C'est dans la compagnie des fous que Louis montre son meilleur visage : il les écoute, leur donne raison, ou plutôt participe à leur délire – ainsi ce chef d'orchestre de Coblence, Hans, déporté pour avoir violé sa fille, que l'unijambiste incite à se remémorer les berceuses d'avant le crime et à les chanter à tue-tête.

« Le joli tandem que nous faisions, tous les deux ! Moi, le jeune homme aveugle, à qui la tonsure, la veste de paysan d'Ukraine aux poches en lambeaux ramassée providentiellement dans une distribution de vieilles nippes, la bouffissure des traits due à la fatigue, au manque de sommeil, donnaient, paraît-il, un aspect indéchiffrable d'enfance et d'autorité, et lui, mon gardien bancal, ébahi, éperdu de sollicitude et qui jetait sa jambe articulée dans l'action par saccades et qui tenait toujours ma main, mon coude, ma manche ou bien même ma tête, et qui me dirigeait, et qui me protégeait toujours un peu trop, au-delà du besoin, comme s'il avait reçu mission de porter un manteau étendu au-dessus de moi. Je comprends bien, en nous revoyant ainsi, écrit Jacques Lusseyran seize ans plus tard dans *Le monde commence aujourd'hui*, que nous avons été une énigme pour presque tous nos voisins. »

Et puis, un matin, les prisonniers russes décident de prendre Jacques sous leur protection, de l'adopter. Ils lui apprennent leur langue. Ils en font leur frère. Ils lui communiquent leur joie de vivre, que l'horreur concentrationnaire ne parvient pas à éteindre. Parmi eux, il y a Pavel, qui a perdu son bras droit, scié au niveau de l'épaule, dans une mine d'Ukraine. Le sans-bras s'entend très bien avec le sans-yeux et le sans-jambe. « Avec ce qui vous manque à tous les trois, professe un fermier de la Limagne, on ferait un homme. »

4

L'un de ses compagnons du Block 56 se nomme, ça ne s'invente pas, Jérémie Regard. C'est un forgeron originaire du Jura qui répond au sobriquet de Socrate au prétexte qu'il exerce sans le savoir la maïeutique et donne sans le vouloir de la clarté : « On allait à lui comme à une source. » L'homme a la foi, qu'il exprime de tout son corps râblé, mais ne propage jamais, malgré son appartenance à un mouvement catholique américain, la *Christian Science*. Il soutient qu'il suffit de faire abstraction du lieu où l'on est supplicié pour survivre et veut croire encore aux vertus du pardon. Il lui arrive même d'être joyeux.

Il est mort quelques semaines après sa déportation. Jacques Lusseyran prétend que, dans les

ténèbres de Buchenwald, serein au milieu des
« bagnards terrifiés », Regard lui a prêté ses yeux,
et pour longtemps.

5

Certains jours, Jacques monte sur un banc,
récite à haute voix des poèmes de Villon,
de Ronsard, de Baudelaire – « La Mort des
amants » –, de Rimbaud, d'Apollinaire, d'Aragon
ou d'Éluard. Même les déportés qui ne parlent
pas le français l'écoutent avec ferveur comme
si c'étaient des mélodies. Ensuite, il sollicite
la mémoire de ses auditeurs, leur demande de
retrouver eux aussi des poèmes. « Je découvrais
qu'il y a dans la tête des hommes des gisements
de poésie et de musique que personne, dans la
vie ordinaire, ne s'avise d'exploiter. »
Il dit aussi qu'à Buchenwald seules la terreur
et la poésie avaient le pouvoir de provoquer,
dans le Block, un silence collectif immédiat. Il
dit aussi que, là-bas, tous les poètes ne se valaient
pas. Lamartine pleurait trop sur lui-même et
Vigny compliquait tout. Mais Baudelaire « travaillait bien » et Hugo « triomphait » avec ses
vers où « la vie gonflait le torse, brandissait le
poing, jetait des flammes et galopait ».

6

Parfois, d'une voix hurlante qui jaillit des haut-parleurs, les S.S. appellent les détenus par leur matricule et leur ordonnent de se rendre à l'infirmerie du camp afin de donner leur sang aux blessés. Ils ont la peau sur les os, à peine la force de marcher sans tituber, et on leur ponctionne cinq cents millilitres d'un sang qui a pourtant presque cessé de couler dans leurs veines. Les donateurs s'en retournent ensuite au Block, soutenus par leurs camarades, soudain plus légers que l'air.

7

À Buchenwald, où tout est noir, Jacques Lusseyran est plein de couleurs. Celles de son enfance que, méthodiquement, il va puiser dans ses souvenirs et qui réapparaissent avec un éclat de premier jour. Le vert brillant des pelouses du Champ-de-Mars. Le jaune pâle et le rouge vif du chemin des coccinelles, à Juvardeil. Les cubes en bois bariolés et vernis du jeu qu'il avait reçu à Noël pour construire, sous le toit du piano à queue, des châteaux magiques. Les robes à fleurs de sa mère, les costumes bleus de son père, et l'arc-en-ciel au-dessus de l'église, après tous les gris de l'orage. Ce sont les couleurs d'un monde où il est possible de survivre quand la mort est si proche.

« Chaque fois que les spectacles et les épreuves du camp devenaient intolérables, écrira-t-il à la fin de sa brève existence, je me fermais pour quelques minutes au monde extérieur. Je gagnais ce refuge où pas un kapo nazi ne pouvait m'atteindre. Je posais mon regard sur cette lumière intérieure que j'avais aperçue à huit ans. Je la laissais vibrer à travers moi. Et je constatais très vite que cette lumière, c'était de la vie, de l'amour. Je pouvais ouvrir à nouveau les yeux – et mes oreilles, et mon odorat – sur le carnage et la misère. Je survivais. Comment voudriez-vous que je nomme encore "malheur" l'accident qui m'a fait ce cadeau ? »

Dans son texte sur la cécité, Jorge Luis Borges disait regretter de ne plus voir le noir, de ne plus pouvoir se réfugier dans l'obscurité complète, d'avoir perdu en même temps le jour et la nuit, de devoir dormir dans « ce monde de brouillard verdâtre ou bleuâtre et vaguement lumineux qui est celui de l'aveugle ». Jamais le matricule n° 41978 n'eut la nostalgie du noir absolu, et surtout pas dans ce camp de concentration où les couleurs enfantines furent son seul réconfort.

8

Pour autant, dans *Le Silence des hommes*, Jacques Lusseyran fera, neuf ans après sa libération, une description étonnamment précise et visible du camp où il fut interné : « Je me

rappelais la colline de Buchenwald. Au fond
de moi, plus loin que ma volonté, j'avais pris
sa forme. C'était une colline violente. Elle était
très belle aussi. Sur le flanc sud, les casernes de
S.S. À son sommet, la tour et la place d'appel.
Sur le versant nord, les Blocks qui descen-
daient de plus en plus vite pour enfin s'isoler.
Buchenwald était très dessiné. Vers le haut,
il y avait la mort, celle des appels d'heures et
de nuits entières devant la tour lumineuse et
glacée, et celle des départs vers la carrière et les
kommandos. Vers le bas, il y avait la mort du
Revier (abréviation de l'allemand *Krankenrevier* :
le dispensaire). C'était partout la même direction. Les bâtiments du *Revier* s'étendaient trop
loin. Ils contenaient trop d'hommes couchés.
Et pourquoi nous gardait-on ici contre la mort,
puisque, à peine debout, on nous jetterait sur
elle ? »

9

Un matin de mars, il n'arrive plus à se lever.
Il vient d'apprendre la mort de son ami Jean
Besniée, aux portes de Buchenwald. Sa peau est
glaciale. Sa poitrine grince. Il n'arrive plus à respirer. L'air est pointu comme un couteau dressé.
Il ne veut pas qu'on le touche. Les bruits lui sont
insupportables, même un simple filet d'eau. Il
est paralysé. Il délire. Il ne sait plus son nom.
Il s'imagine brûler et partir en fumée. « Je voyais

mon corps en train de quitter ce monde. L'image de Jean ne me lâchait plus. Pendant des jours et des nuits, j'ai tenu sa main en pensée. Une chose dépendait de moi : ne pas refuser l'aide du Seigneur. Ce souffle dont il me couvait. La Vie qui soutenait ma vie. » Au *Revier*, où il a été conduit, un médecin polonais diagnostique une pleurésie, une double otite, une dysenterie, un érysipèle, et s'en va après avoir articulé ces mots : « Très malade. Pas de médicaments. » Jacques reste plusieurs jours prostré, sans s'alimenter ni être soigné. Jusqu'au moment où il entend un prisonnier russe, Nicolaï, lui chanter à l'oreille une mélodie joyeuse dont les paroles exaltent le courage des hommes qui ne veulent pas mourir. Il lui murmure aussi : « Calme, calme. » Il le porte jusqu'au robinet pour le laver. Lentement, Jacques retrouve la force de prier, sent sa fièvre tomber en même temps que monte en lui « une colonne de lumière ». Il prétend que c'est la pensée du Christ. Il renaît. Il est sauvé.

Comment donc a-t-il pu, durant quinze mois, pendant quatre cent cinquante jours, survivre à la faim, au froid (entre − 15 et − 35°), au typhus, au scorbut, à la fièvre jaune, à la broncho-pneumonie, à la pleurésie, à la septicémie ? Il attribue ce miracle à la cécité, qui lui a épargné les kommandos de travail, à la fraternité des déportés, au pouvoir qu'a eu la mémoire de le faire s'évader à tout instant, et à l'incomparable force de la foi. Jamais un doute ne lui vint, répète-t-il, sur la justice divine.

Il tient même qu'il a eu la chance, en prison comme en déportation, de rencontrer des êtres remarquables et de vivre des moments exceptionnels. Jamais il n'évoque ses souffrances, toujours il remercie le ciel de lui avoir fait découvrir la sidérante faculté de l'homme à combattre la mort, à résister à ce qui le détruit.

Lorsque, après la Libération, certains venaient à louer son héroïsme, il haussait les épaules et leur demandait plutôt de reporter leur admiration sur Georges Lastelle. Ce Normand, qui avait eu dix-huit ans en 1940, s'était engagé tôt dans la Résistance, avait été arrêté et mis au secret, enterré vivant dans une forteresse, en Allemagne, pendant quarante-neuf mois. Un matin de 1946, avant de partir pour le sanatorium, il avait raconté à Jacques ces quatre années passées dans un trou à rats, et il l'avait fait d'une « voix douce, égale, une de ces voix qui s'ouvrent vers le haut, qui ne glissent jamais vers ces derniers sons de la phrase juste un peu plus bas que les autres, comme le font les voix des hommes déçus. Georges avait grandi au cours de ces années mortes. Il était plus fort qu'avant, plus intelligent qu'avant : j'en étais sûr. Il était plus joyeux aussi ». S'il avait survécu dans cette fosse obscure, ce n'est pas qu'il avait bataillé de tout son corps, c'est au contraire qu'il s'était abandonné à son destin, qu'il avait su lâcher prise. Georges était un héros, mais pas lui, Jacques, qui avait peut-être connu l'apocalypse, mais était revenu de Buchenwald sur ses deux jambes, et « comblé d'événements ».

À partir de mars 1945, Buchenwald devient, sur sa colline, un étrange camp retranché. Chaque nuit, des avions vrombissent dans le ciel et bombardent Weimar. Tout autour, les incendies succèdent aux explosions. La guerre se rapproche du camp. La vie avance vers la mort. Le 10 avril, les S.S. proposent aux détenus de partir, escortés par des gardes, sur les routes en direction de l'Est. S'ils veulent rester, ce sera à leurs risques et périls. La rumeur prétend que ces derniers seront exterminés au lance-flammes. Sur les cent mille prisonniers, quatre-vingt mille font le choix de quitter Buchenwald. Jacques Lusseyran décide de demeurer dans son Block. L'aveugle crie à qui veut l'entendre : « On ne s'en va pas, on est fidèles. » Fidèles au supplice ? Fidèles aux bourreaux ? Une voix en lui l'encourage à ne pas bouger. Il pressent que partir, c'est mourir. Il a raison : la longue colonne de détenus en marche sera mitraillée par les S.S. à une centaine de kilomètres du camp. Alors, il se survit à Buchenwald, où il broute l'herbe comme une vache aveugle, pour tromper la faim qui le torture. Le 11 au matin, les blindés de la troisième armée américaine dirigée par le général Patton arrivent aux « portes de l'enfer ».

Sur les deux mille Français débarqués ici le même jour que Jacques Lusseyran, seuls trente ont survécu. Trente ! Son meilleur et plus ancien ami, Jean Besniée, le Jean solaire de *Et la lumière fut*, rencontré en sixième, au lycée Montaigne, qui avait été envoyé au camp de représailles de Neue Bremm, est mort d'épuisement, on l'a dit, lors de son transfert vers Buchenwald. Son camarade de philo à Louis-le-Grand, Jacques Oudin, membre d'un réseau de Résistance à La Ferté-Allais et du Comité directeur de *Défense de la France*, arrêté et torturé par la Gestapo en janvier 1944, déporté à Auschwitz, puis à Buchenwald et à Ellrich, est mort le 8 avril 1945. Tant d'autres encore, et aussi jeunes que lui, ces combattants de l'ombre dont l'Histoire a oublié les noms, qu'il épelle l'un après l'autre dans ce camp où le jour n'ose pas se lever, comme s'il avait peur de contempler l'étendue du désastre. Comme si la lumière du monde avait honte.

Le 15 avril, de Buchenwald, il dicte à un de ses camarades sa première lettre d'homme libre :

Mes chers parents, je suis sauvé et en bonne santé, quoique affaibli par une longue famine. J'ai toutes les raisons de croire et j'espère que tout va bien pour vous. Mon bonheur d'aujourd'hui est trop grand et mes malheurs d'hier l'ont été trop aussi pour que je puisse vous dire tout ici. Je vis maintenant dans de bonnes conditions de confort et d'alimentation. Je n'ai qu'une hâte, vous revoir tous, retrouver du repos et du travail. Beaucoup de mes amis n'ont pas eu la chance inouïe qui m'a sauvé. Transmettez mes souvenirs affectueux à Jacqueline et Philippe et à tous les siens. Dites-leur que durant ces quinze mois *Défense de la France* est resté uni et a beaucoup travaillé à Buchenwald. Je suis bien pressé de rentrer, mais je n'ai aucun détail sur les délais. Quel bel été nous allons passer ensemble. J'ai appris ici à aimer la vie et vous aimer plus que jamais. À la pensée que dans trois jours au plus tard cette lettre sera chez vous, moi qui n'ai jamais pleuré depuis deux ans je me retiens avec peine. J'ai confiance que nous nous retrouverons dans quelques jours. Je vous embrasse de toutes mes forces,

Votre fils qui vous aime,

JACQUES

Ainsi donc, du camp de Buchenwald, un homme sans regard, si maigre qu'il semble flotter dans sa tenue rayée et puis s'y noyer, a pu écrire : « J'ai appris ici à aimer la vie. » Même si l'on en comprend le sens – il a appris ici à refuser de mourir, à se battre pour survivre –, cette phrase n'a pas d'équivalent dans toute la littérature concentrationnaire. Elle explose, comme une bombe, à la tête de tous les bourreaux. Elle les tue.

11

Le 16 avril, pénètrent dans le camp, escortés par un détachement américain, des centaines d'habitants de la ville de Weimar, voisine de cinq kilomètres. Les notables, qui jurent n'en avoir jamais rien su, sont sommés de constater l'ampleur et l'horreur de la tragédie, la puissance industrielle de l'extermination organisée par les nazis. Et leurs administrés, femmes comprises, sont réquisitionnés pour aider à l'évacuation non seulement des survivants, mais aussi des cadavres. Certains s'évanouissent d'effroi. D'autres font le signe de croix. Ils ajoutent, au silence de mort qui règne sur le camp, celui de la culpabilité collective. À l'un de ces civils allemands, Jacques dit, d'une voix épuisée, même pas révoltée : « J'aimais autrefois votre langue, désormais je ne pourrai plus la parler. »

12

C'est Philippe Viannay en personne qui, le 18 avril 1945, à dix-sept heures trente, vient libérer le « petit aveugle français », son compagnon de Défense de la France, et le fait monter dans sa voiture pour un dernier tour de la place d'appel du camp et aussi « pour l'honneur ». Depuis février 1944, Viannay commandait le maquis de Seine-et-Oise Nord et avait été nommé peu après responsable F.F.I. de cette région. Blessé et arrêté par les Allemands en juillet, il réussit à s'évader et reprend son poste dans la Résistance. En 1945, le général de Gaulle le charge d'aider au rapatriement des déportés. Philippe Viannay sait que Jacques Lusseyran est vivant. Il a traversé en trois jours la France et l'Allemagne pour le retrouver, le serrer dans ses bras. « C'était la voix de Philippe, c'était Philippe. J'étais contre sa poitrine. Il était là, Philippe, le patron de *Défense de la France*. La France ! Philippe égale la vie. L'équation était triomphante. Il avait été le dernier homme que j'avais vu avant la prison. Il était le premier homme que je voyais en sortant. »

13

Durant l'été 1945, Jacques Lusseyran apprend que, retour en Anjou, Louis Onillon, son voleur de pain, son unijambiste canaille, son frère de captivité, a été arrêté et incarcéré à la prison d'Angers, qu'il est menacé d'être exécuté pour avoir dénoncé des résistants à la Gestapo. Il écrit alors une lettre dans laquelle il témoigne de « l'extraordinaire conduite humaine » de son camarade à Buchenwald. Elle lui épargne la peine de mort. Louis est transféré au bagne de Saint-Martin-de-Ré, dans la citadelle fortifiée par Vauban. Rescapé de Buchenwald, il mourra sur l'île française.

14

Claire Lusseyran, la fille de Jacques, est allée une seule fois à Buchenwald. Assistante réalisatrice (notamment d'Abdellatif Kechiche sur *La Faute à Voltaire*), elle travaillait alors avec le metteur en scène suisse alémanique Luc Bondy et était en repérage pour lui près de Weimar. Le cœur battant, elle est montée sur la colline d'Ettersberg, a franchi le portail sous un ciel de plomb, traversé les allées lugubres, fantomatiques, et lorsqu'elle est arrivée près du Block 56, elle a vu apparaître un renard. Un beau renard roux aux yeux verts, qui semblait surgir, pour elle seule, du *Petit Prince* de Saint-Exupéry, dont les clichés (« On ne voit bien qu'avec le cœur. L'essentiel est invisible pour les yeux ») devenaient soudain, par la grâce de Jacques Lusseyran, des vérités. Il a regardé Claire fixement et puis a marché à ses côtés, tranquille, solennel, d'un pas protocolaire, tandis qu'elle longeait lentement le bâtiment où son père avait été détenu, où son père avait failli mourir. Et puis l'animal sauvage a disparu en courant après qu'elle en eut fait le tour.

15

C'est mon grand regret : n'avoir jamais pensé interroger l'auteur de *L'Écriture ou la vie* sur celui de *Et la lumière fut*. Jorge Semprun, qui était un ami cher, m'aurait répondu, j'en suis sûr, mais j'étais, sur cette question, trop pudique. Nos longues conversations portaient sur la littérature, le cinéma, la politique, en France et en Espagne, mais jamais nous n'avons parlé de sa déportation. Il se serait volontiers confié, mais moi, je n'osais pas. Les rescapés intimident. Les survivants sont des statues de verre qu'un simple souffle, fût-il affectueux, pourrait briser. Et j'avais peur, malgré nos tutoiements complices, d'ébranler ce bel homme qui se disait incapable d'admirer les sculptures de Giacometti, parce qu'il aurait eu l'impression de croiser des cadavres marchant dans la boue, à pas comptés, vers les latrines du camp. J'avais peur aussi d'importuner celui qui avait attendu vingt ans avant de consacrer un livre, *Le Grand Voyage*, à son expérience concentrationnaire – longtemps en effet, il avait préféré exister pour oublier qu'écrire pour se souvenir. Alors, je l'avais lu. Je viens de le relire.

Jorge Semprun est arrivé à Buchenwald trois mois avant Jacques Lusseyran. Ils se sont forcément croisés dans l'enceinte du Petit Camp. Ils ont été libérés ensemble par les troupes de Patton. Ce jour-là, le jeune communiste espagnol, qui était membre d'un réseau anglais de résistance, a eu un choc que l'aveugle français ne pouvait pas éprouver: il s'est regardé, squelettique, dans les yeux épouvantés de trois officiers de l'armée alliée. Mais ce que, pareillement tétanisés, ils ont entendu et respiré, le 11 avril 1945, était identique: un silence de plomb et un remugle de mort. La fumée du crématoire avait chassé les oiseaux du printemps, l'odeur de chair brûlée avait étouffé sur l'Ettersberg tous les parfums boisés de la nature. L'air était immobile et le temps s'était arrêté. Seule montait la mélopée tremblante d'un jeune soldat américain qui récitait, en espagnol, le *Pater Noster* devant l'amoncellement dantesque de cadavres jaunis.

Lorsque le déporté politique Semprun a conduit un groupe de jeunes femmes en uniforme bleu à la porte du crématoire, leur a montré les crochets où les nazis pendaient les corps, a désigné les nerfs de bœuf de la salle de torture, expliqué le monte-charge qui s'arrêtait devant les fours, il a éprouvé un grand sentiment d'impuissance : il y avait soudain un abîme entre les mots et les choses. Ce jour-là, Semprun découvrit l'angoisse, si souvent partagée par Lusseyran, « de ne pas être crédible, parce qu'on n'y est pas resté, précisément ».

De Buchenwald, comme pour exorciser le souvenir de son propre convoi d'hommes nus courant sous les projecteurs, les coups de crosse des S.S. et les aboiements des chiens le long de l'avenue des Aigles, il essaiera, dans *L'Écriture ou la vie*, de tirer les images les moins noires : la lecture de la *Logique* de Hegel et de *L'Encyclopédie des sciences*, la voix, dans les haut-parleurs, d'un Français chantant « Ménilmontant, mais oui, Madame », de Charles Trenet, et surtout cette fraternité entre les déportés, cet « appétit de vivre insatiable » dont parle également Lusseyran, avec la même et sidérante bravoure. Quand Semprun décrit la puanteur du même Block 56, rend grâce à un Russe musclé qui, par « pure bonté », le décharge de l'énorme pierre qu'un S.S. sadique lui avait attribuée, se souvient de Paquito, joli Espagnol de seize ans qui, déguisé le soir en femme, « allumait dans les yeux des mecs des arcs-en-ciel de désir fou », ou soutient que de réciter des vers de Rimbaud et de García Lorca aidait à mieux résister, à ne pas s'effondrer, on croirait lire des pages de *Et la lumière fut*. Seul Dieu les distingue : l'un, dans son obscurité, croit à sa présence ; l'autre, dans sa clarté, se révolte contre son silence.

Jorge s'est éteint le 7 juin 2011, à Paris. Il avait quatre-vingt-huit ans. L'un de ses derniers livres s'intitule *Le Mort qu'il faut*. Il y raconte pourquoi un garçon est décédé en camp de concentration, qui portait son nom. En 1944, la direction centrale des camps, à Berlin, avait adressé une demande de renseignement à l'antenne de la Gestapo de Buchenwald : le déporté Jorge Semprun, vingt ans, matricule 44904, est-il encore en vie ? Craignant que la note lapidaire signifiât qu'il fallait hâter l'exécution du prisonnier, l'organisation clandestine du camp décida de faire passer Jorge Semprun pour mort. Le rôle du cadavre fut dévolu à François L., son exact contemporain, un étudiant parisien livré aux nazis par son père collaborationniste qui était en train d'agoniser à l'infirmerie. Pendant une nuit, allongé à côté du jeune homme dont, pour survivre, il allait prendre l'identité et auquel il allait donner la sienne, il recueillit ses derniers mots. C'était une phrase de Sénèque : « *Post mortem nihil est ipsaque mors nihil* », « Il n'y a rien après la mort, la mort elle-même n'est rien. »

SON MAÎTRE DE JOIE

1

Le 22 avril 1945, en fin d'après-midi, Jacques Lusseyran est de retour à Paris, dans cet appartement familial et familier du boulevard de Port-Royal où, deux ans plus tôt, la Gestapo était venue le cueillir, et qu'il pensait ne jamais revoir. Il lui faut du temps pour s'habituer à sa nouvelle vie, manger à sa faim, dormir dans des draps frais qui sentent la lavande, respirer le parfum matutinal de la boulangerie voisine, entendre parler français et ses parents lui dire à chaque instant, comme s'il était redevenu un enfant, qu'ils l'aiment et ont eu très peur de le perdre. Il lui faut du temps aussi pour chasser ses cauchemars récurrents, accepter la disparition de Jean Besniée et cesser de penser qu'il est lui-même un fantôme. « Je ne suis pas un homme, répète-t-il, mais un ressuscité. » En vérité, il se sent l'âme d'un vieillard épuisé de vivre dans un corps qui lui échappe. Il lui faut se marier sans tarder pour rattraper le temps perdu et avoir, croit-il, un avenir. Cinq mois après avoir foulé le sol de France, il épouse donc Jacqueline Pardon.

Il l'avait rencontrée en 1943, lorsqu'il avait été admis au Comité directeur de *Défense de la France*. Elle l'avait trouvé « charismatique, sympathique, dynamique et courageux ». La dernière fois qu'il avait entendu sa voix, c'était dans la cour de la prison de Fresnes, d'où l'un et l'autre devaient être conduits séparément, pour y être interrogés, au siège de la Gestapo de la rue des Saussaies. L'apercevant, elle avait eu le réflexe de prendre le relais du soldat allemand qui conduisait Jacques par le bras vers la voiture cellulaire. Ils avaient eu le temps, durant ce bref trajet, d'échanger leurs informations et d'identifier le garçon qui les avait trahis, Elio Marongin. Depuis cette ultime et cahotante traversée de Paris derrière des barreaux, ils ne s'étaient plus revus. Libérée en décembre 1943, elle avait été envoyée par l'organisation en Bourgogne-Franche-Comté. Élevée à la Libération au grade de lieutenant, elle avait participé au rapatriement des déportés avec un zèle décuplé par le secret espoir de retrouver l'homme aveugle qu'elle aimait. À bord d'une jeep, en compagnie d'un colonel, d'un capitaine, d'un médecin et d'un chauffeur, elle avait traversé l'Allemagne en ruine sur des routes minées, avait pénétré dans les camps de Bergen-Belsen et de Neuengamme, à l'entrée desquels on l'avait aspergée de D.D.T. pour la prémunir contre le typhus, avait découvert, au bord de l'évanouissement, les innombrables charniers, ces tas de « cadavres jetés les uns sur les autres, les hommes en érection, les femmes squelettiques, tous recouverts de mouches ».

Tandis que Jacqueline Pardon arrivait à Hambourg, Jacques Lusseyran, hagard, revenait à Paris, d'où il lui adressait une lettre dactylographiée. Une lettre d'amour illisible. Le ruban s'était coincé, et la feuille ne portait que des signes en creux. On aurait dit du braille. Car désormais, comme tout le monde, l'aveugle écrivait directement sur une machine mécanique et jonglait avec son alphabet cabalistique, azertyuiop...

2

Née en septembre 1921 à Paris, Jacqueline est la fille d'un riche industriel, ancien pilote d'aviation, héros de la Grande Guerre, qui possède des châteaux, des bateaux, des automobiles et des maîtresses. Elle a tout pour plaire à Jacques, qui est de trois ans son cadet : elle a la foi catholique, elle fait des études supérieures de philosophie et elle est résistante. L'âme, l'esprit et le cœur. La trinité idéale. Seule différence : la classe sociale. Elle appartient à la grande bourgeoisie. Elle a grandi, entre le quai d'Orsay, la rue Vineuse, l'avenue de l'Observatoire et le boulevard Raspail, dans d'immenses appartements où le chauffeur attendait son patron volage, où les enfants disposaient d'une salle de jeux, où le piano était à queue et la femme de chambre, métisse. Elle a été élevée par des sœurs converses à Notre-Dame-de-Sion dans l'observance stricte des principes et des devoirs religieux. Elle y a ajouté, dès l'adolescence, la passion de Port-Royal et « la tentation de la perfection ». Car elle avait soif d'absolu. Elle dévorait les manuels des trappistes, les *Sermons* de Maître Eckhart et *Le Voyage du centurion*, d'Ernest Psichari. À l'église, elle passait des heures entières les bras en croix. Oblative et sacrificielle, elle croyait aux vertus de la souffrance et à la grandeur de l'expiation. Elle aurait bien voulu être sainte.

À la Sorbonne, où elle fut l'élève de Gaston Bachelard et du père Daniélou, elle lut passionnément Pascal, Descartes et Malebranche. Jean Cavaillès, dont elle ignorait les activités dans la Résistance, lui enseigna la logique. C'est en 1942, alors qu'elle présentait un exposé sur « le goût du risque », qu'elle fit la connaissance de Philippe Viannay, un jeune agrégatif de philo. Glissé dans l'amphithéâtre, il l'écouta avec attention et la prit ensuite à part : « Il me dit qu'il venait de fonder un groupe de résistance et me demanda si je voulais y participer. Le ciel me tomba sur la tête. C'est ce que je désirais depuis toujours, cette aventure au nom d'un idéal, de la patrie. J'acceptai d'enthousiasme. » Son engagement tenait moins à des raisons idéologiques qu'à des motivations philosophiques. Car passer à l'action, c'était donner un sens à son existence et un but à sa jeunesse, c'était aussi faire prendre à son intelligence le risque du réel. Après un détour par le confessionnal du pétainiste abbé Lallier, secrétaire de l'archevêque de Paris, qui lui ordonna surtout de n'en rien faire, et par le bureau du père Beirnaert, un jésuite d'*Études*, qui l'encouragea au contraire à foncer, passer le cap, Jacqueline Pardon quitta la Jeunesse étudiante chrétienne pour *Défense de la France*. Non seulement le journal, dont elle allait assurer le secrétariat général, mais aussi le mouvement, où elle allait jouer les recruteuses et faire entrer Geneviève de Gaulle, la nièce du général, sa condisciple de la Sorbonne. Sans cesser de se rendre, chaque matin, à la première messe et d'y communier, elle participa à la distribution clandestine du journal dans le métro et les boîtes aux lettres ainsi qu'au trafic de faux papiers, de tickets d'alimentation, de certificats de travail et d'*Ausweis*. Les noms et domiciliations qui figuraient sur les fausses cartes d'identité étaient prélevés sur les listes des mairies bombardées dont les archives avaient été détruites. Les cachets et les timbres fiscaux étaient volés dans les administrations. Le travail était bien fait.

Le Q.G. de ses activités clandestines était le pavillon de ses grands-parents maternels, situé au 121 de la rue d'Alésia, qui offrait plusieurs chemins de fuite, soit par le toit du premier étage augmenté d'un pigeonnier, soit par la cour arrière donnant sur une distillerie désaffectée et transformée en clicherie pour l'impression du journal. C'est dans ce pavillon que Jacqueline Pardon cacha Philippe Viannay et sa femme enceinte, Hélène, et qu'eurent lieu souvent les réunions du mouvement.

Le 19 juillet 1943 au soir, alors qu'ils rentraient à vélo rue d'Alésia avant le couvre-feu, Philippe Viannay conseilla vivement à Jacqueline Pardon d'épouser Jacques Lusseyran : « Il t'aime beaucoup. » Elle n'y avait jamais pensé, et ne supportait guère qu'on lui dictât sa conduite sentimentale. Elle pédala encore plus vite dans la nuit. À l'aube du 20 juillet, Jacques était arrêté par la Gestapo. Quelques heures plus tard, Pierre Bonny en personne venait cueillir Jacqueline dans l'arrière-boutique de la librairie *Au vœu de Louis XIII*.

Incarcérée à Fresnes, où elle récitait en boucle le *Pater Noster* et priait pour le salut de ses compagnons de détention, celle qu'on appelait « Jacqueline de Défense de la France » trouva encore le moyen de monter un réseau de renseignement et de donner chaque jour, à midi, lorsque les gardiens changeaient d'équipe, et après avoir descellé un carreau de sa fenêtre, une manière de journal parlé que relayaient les détenus des cellules voisines. À Noël 1943, elle bénéficia d'une grâce et fut libérée. Elle rejoignit ensuite le maquis F.F.I. de Claude Monod, en Bourgogne-Franche-Comté, où elle tint la permanence du poste de commandement.

Printemps 1945. À peine Jacqueline Pardon est-elle revenue à Paris qu'elle reçoit un coup de téléphone de Mme Lusseyran lui annonçant que son fils souhaite la voir. Elle accourt et découvre un garçon ombreux, anémié et sans joues, dont la force légendaire a disparu. À vingt et un ans, il ressemble à un adolescent. Elle voit plus en lui un petit frère malade qu'un mari triomphant. Ses amis la dissuadent d'ailleurs de l'épouser. La connaissant, ils craignent qu'elle ne cède, avant tout, à ses penchants chrétiens : la charité, le dévouement, l'obéissance, le sacrifice de soi, et qu'elle se marie comme on entre dans les ordres, chez les carmélites coupées du monde en marche par la clôture papale. Ce raisonnement, au lieu de l'effrayer, la stimule. Elle décide de donner, au sens propre comme au figuré, sa main au jeune aveugle. Elle met entre parenthèses ses « ambitions personnelles », son « envie de vivre », pour se consacrer exclusivement à Jacques et à la reconnaissance, dit-elle, d'un « être d'exception ». Son sacerdoce durera huit années.

Vivre avec un aveugle est un défi quotidien. D'autant que Jacques est aussi généreux que possessif, aussi solaire que ténébreux. Il exige de Jacqueline, à qui Mme Lusseyran a confié le sort de son fils et demande sans cesse des comptes, qu'elle soit toujours à ses côtés. Même pour écouter des disques, il la veut près de lui. Elle n'est pas seulement sa femme, elle est aussi sa secrétaire, sa lectrice, sa gouvernante, sa guide, et sa thérapeute. Car il ne va pas bien. Depuis sa libération, il sombre peu à peu dans une mélancolie qu'on appellerait aujourd'hui la dépression. À frôler si longtemps la mort, il a fini par perdre le goût de la vie. L'aveugle broie du noir. Dieu ne lui est plus d'aucun secours, c'est devenu un ami déloyal. Chaque matin, au réveil, il s'oblige à croire en son destin. Jacqueline l'encourage tout en se plaignant qu'il ne lui octroie pas la moindre plage de liberté, qu'il l'oppresse. Malgré ses années de jansénisme, elle n'est pas prête à s'oublier. Elle se reproche parfois de manquer de tendresse. Pour se justifier, elle confie alors qu'elle est aussi dure avec les autres qu'avec elle-même. Le couple brinquebale déjà.

5

Pour se fixer un objectif et sortir de la torpeur qui les paralyse, Jacques et Jacqueline, qui sont toujours membres du conseil d'administration, tentent, avec Philippe Viannay, de prolonger l'aventure de *Défense de la France*. Le journal occupe les locaux de *Paris-Soir*, rue Réaumur.

Ils imaginent même créer, sous ce même nom, une maison d'édition. Les jeunes mariés parcourent la France de long en large afin d'obtenir le soutien de personnalités et d'investisseurs. Ils travaillent aussi à la constitution d'un catalogue. Leur ami Raymond Aron leur donne *L'Âge des empires et l'avenir de la France*. Mais le livre est un fiasco et les dissensions, au sein de l'équipe dirigeante, font échouer le projet et ses illusions. La maison d'édition s'éteint et le journal né dans la clandestinité se meurt d'être au grand jour. Il s'appelle dorénavant *France-Soir*. Pierre Lazareff en prend la tête. Jacques Lusseyran n'y a pas sa place.

Où d'ailleurs a-t-il sa place dans cet après-guerre confus où les purs dérangent et les héros gênent ? On ne dira jamais assez combien, de ses exploits de résistant et de son martyre de déporté, le jeune homme sans yeux n'a tiré aucun parti, n'a gagné aucune considération, n'a obtenu aucun avantage et aucun de ces titres ronflants qu'arborent, dans Paris, les insoumis triomphants de la dernière heure. Il ne demande rien, parce que rien ne lui fait envie. Lui qui était si plein d'énergie, de désirs, d'ambitions, d'illusions, se sent vide. Il ne s'estime même pas. S'il le pouvait, il se fuirait.

Sonne l'heure de juger Elio Marongin. Après avoir été déporté en Allemagne, le garçon qui a trahi les « Volontaires de la Liberté » est conduit devant les tribunaux français. Jacques Lusseyran est appelé à témoigner. Lorsqu'il se met à parler, les mains agrippant la barre, le regard fixé sur le président de la cour, la salle se tait, impressionnée et bouleversée. Son récit est accablant parce que sa mémoire des lieux, des dates, de la chronologie des faits, est irréfutable. Si, la veille de son arrestation, Jacques a reçu la visite d'Elio, qui lui apportait une cartouche de cigarettes, c'était bien pour s'assurer qu'il devait partir en vacances le lendemain et permettre ainsi à la Gestapo d'agir au plus vite et d'empêcher sa fuite. Le procès est sans appel. Elio Marongin, vingt-quatre ans, est condamné à mort. À l'énoncé du verdict, il se tourne vers son ancien camarade : « Je veux que tu saches que je t'aimais bien quand même. » Jacques ne bronche pas. Il a la tête penchée et méditative, qui est désormais sa marque. Mais sur les marches du Palais de justice, serrant le bras de Jacqueline, il lui glisse : « Il a fait mourir mes amis, il doit payer. »

Jacques, à qui la Légion d'honneur a été finalement concédée, est le seul déporté à ne pas recevoir de pension. Un conseil de révision l'a en effet trouvé en trop bonne forme physique pour lui en attribuer une. En somme, il n'était pas assez mourant. Au lieu de s'en offusquer et de s'en plaindre, il en sourit. Il n'a d'ailleurs qu'une idée en tête : vivre désormais de sa vocation, qui est d'enseigner, reprendre le cours du destin universitaire que la guerre a brisé net. Il passe une licence de philosophie, prépare, en lettres modernes, un doctorat d'État sur « Le syncrétisme religieux dans l'œuvre de Gérard de Nerval » pour lequel il fait chaque jour des recherches à la Bibliothèque nationale, où la fidèle Jacqueline l'accompagne pour lui lire à haute voix les ouvrages et les documents consultés. Mais la loi, signée Abel Bonnard, qui empêche les non-voyants de se présenter à l'École normale supérieure, à l'agrégation, à l'E.N.A., bref, à la fonction publique, qui leur barre la route de l'enseignement ou de la diplomatie, est toujours en vigueur à la Libération. Combien de temps encore le régime de Vichy va-t-il pourrir la République française ? « Les voyants, lâche Lusseyran, ne croient pas aux aveugles. » Cette loi ne sera abrogée que dix ans plus tard. Elle l'oblige à chercher des postes de substitution. C'est ainsi que, grâce à l'intervention de Pierre Favreau, son ancien professeur d'histoire à Louis-le-Grand, par ailleurs franc-maçon du Grand Orient de France, il est nommé pour deux ans au lycée français de la Mission laïque de Salonique, en Grèce, où la guerre civile fait rage et où le pouvoir de droite le suspecte très vite d'être un propagandiste communiste au seul prétexte qu'il a été résistant. Il lui est interdit d'être en contact avec les Grecs et les autorités l'obligent à se rendre chaque semaine au commissariat. De son côté, le British Council l'accuse d'attirer à ses cours et à ses conférences, où en effet l'on se bouscule, la jeune élite intellectuelle de Salonique et de la détourner de la langue de Shakespeare au profit de celle de Molière. Chaque jour est pour lui un combat épuisant. On finit par lui ordonner de rentrer en France. Décidément, le non-voyant est un mal-aimé.

Il n'imaginait pas qu'après avoir tant souffert son retour à la vie ordinaire et civile serait à ce point semé d'embûches. Oh, il ne demande pas à être honoré ni favorisé, mais il ne pensait pas susciter une si grande indifférence ou être l'objet de telles hostilités. Et, surtout, il ne comprend pas pourquoi, avec la liberté, il recouvre un statut d'invalide que, paradoxalement, la Résistance et la déportation avaient réussi à faire disparaître. La société se reconstruit sans lui, au prétexte qu'il est handicapé. Alors, il perd le goût d'écrire et celui d'aimer. Jamais, alors qu'il vient de se marier, il ne s'est senti si désespérément seul.

À son retour de Grèce, il est autorisé à accompagner les jeunes Égyptiens qui, à l'École normale de Saint-Cloud, préparent une thèse d'université, et à dispenser, dans le cadre des Cours de civilisation française à la Sorbonne, des leçons sur la littérature, où les étudiants ovationnent chacune de ses interventions. Plein d'une culture qu'il voudrait tant partager, il accepte aussi de donner des conférences pour l'Alliance française aux Pays-Bas, au Danemark, en Norvège et en Suède. Jamais plus qu'à cette époque, Jacques et Jacqueline n'ont mieux mérité leur titre de « Citoyens du monde ». Ils ont d'ailleurs rejoint, dès sa fondation, en 1947, ce mouvement d'origine américaine que dirige, en France, Robert Sarrazac, un militaire alors chargé du Service Information Allemagne au ministère des Prisonniers et Déportés. C'est grâce à cette association, autour de laquelle gravitent de nombreux intellectuels, que le couple rencontre Albert Camus, André Gide, André Breton, Jean Bruller, alias Vercors, le père Teilhard de Chardin ou le peintre Jean Hélion.

8

On ne l'a pas dit jusqu'ici, mais Jacques Lusseyran est un bel homme au charme fauve. Un large front que prolonge un nez droit, une épaisse chevelure brune, un port altier sur un cou puissant, il a un profil de consul romain gravé sur une monnaie. Il ne sait pas qu'il est séduisant, mais il ne peut pas ignorer qu'il plaît. Il se regarde dans les yeux des femmes qu'il ne voit pas. Elles sont le miroir sans tain derrière lequel disparaît son handicap. Il a des mains de sculpteur et découvre leur beauté avec les doigts, donne des couleurs à leur eau de toilette et un visage à leur souffle. Elles succombent volontiers à cet homme si différent des autres, tellement plus prévenant, et comme doté d'un sixième sens. Elles se glissent avec extase dans sa nuit. Les femmes le dédommagent de tous les doutes qui l'assaillent depuis son retour à Paris. Elles lui rendent, avec des gestes très doux, la confiance qu'il a perdue. Il sait si bien, si fougueusement, si ardemment les aimer.

Déjà père d'un garçon et d'une fille – Jean-Marc et Claire, nés respectivement en 1946 et 1948 –, le mari volage rencontre, durant l'été 1950, lors de vacances en Autriche, Jacqueline Hospitel, qui deviendra sa deuxième épouse. Trois mois plus tard, en novembre, Jacqueline Pardon met au monde Catherine, leur troisième enfant. Trop de confusion, trop de mauvais vaudeville, la situation est intenable. Le couple finit par divorcer, le 1er juillet 1954.

« De Jacqueline Hospitel, je ne dirai aucun mal. Elle a pris une place qui était à prendre. Au début, j'ai pensé qu'il était bien que Jacques ait l'occasion d'avoir une autre expérience sexuelle qu'avec moi. Je ne suis pas jalouse. » Jacqueline Pardon, qui n'a jamais mieux porté son nom, a écrit ces lignes dans un recueil de souvenirs jamais publié, *De la solitude à l'amitié.* Elle s'est éteinte, le 16 janvier 2009, à Paris, à l'âge de quatre-vingt-sept ans. Seul *Le Monde* a pensé alors à rendre hommage à cette grande résistante, qui fut aussi une grande amoureuse.

9

À la veille de se séparer, les Lusseyran font la rencontre déterminante d'un homme aussi ambigu que charismatique dont tout aurait dû les éloigner, n'étaient leur attirance du moment pour l'ésotérisme et l'ombrageuse fidélité de Jacques à l'anthroposophie paternelle, à la mystérieuse tradition rosicrucienne.

Guérisseur, gourou, maître spirituel, apôtre ? De vingt-cinq ans leur aîné, Georges Bonnet, alias Georges Saint-Bonnet, né en 1899 dans une famille protestante de la Drôme, orphelin de père à seize ans, blessé durant la Grande Guerre, traîne derrière lui un passé pour le moins compromettant. Il a préfacé, en 1926, des extraits de *Mein Kampf*, où il loue, en Hitler, un homme qui « ordonne aux corps, impose aux esprits, enjoint aux intelligences, met les âmes à l'alignement et règne sur elles ». Il a également signé, en 1932, un livre teinté d'antisémitisme (bien qu'il s'en défendît), *Le Juif ou l'internationale du parasitisme*. Ami de Pierre Laval, il a même accepté, dès juillet 1940, de siéger dans le premier gouvernement du régime de Vichy. Et puis, en pleine Occupation, une crise mystique, à l'en croire, eut raison de ses errements. Il quitta la vie publique en même temps qu'il se découvrit le pouvoir, par la pensée et la méditation, de guérir les malades, qui se bousculèrent alors dans son bureau. En 1948, il fonda une manière de secte douce : le groupe Unitiste, qui se réclamait de la Rose-Croix, ajoutait l'occultisme au christianisme, la magie à la mystique, et empruntait à la fois aux traditions juives, arabes et indiennes.

Lorsque, en 1952, les Lusseyran rencontrent Georges Saint-Bonnet, ils éprouvent une même fascination pour celui qu'ils appellent d'emblée « le patron ». Il professe des idées œcuméniques. Il parle par maximes définitives et tautologies ronflantes. Il met partout des majuscules. « Ce qu'il faut avant tout, c'est Être », « L'Invisible ne se voit qu'à travers le visible », « Il n'y a qu'une seule chose à combattre en ce monde, la souffrance », ou : « Il n'y a pas d'au-delà, le Ciel est en nous. » Jacqueline et Jacques participent à ses réunions secrètes, boivent ses paroles comme si c'était du vin de messe, et deviennent non seulement ses disciples, mais aussi ses intimes. Saint-Bonnet, promu conseiller matrimonial, leur déconseille alors de divorcer. Il pousse Jacques à raconter son expérience dans un livre – ce sera *Et la lumière fut*, tapé sur sa machine en quatre-vingt-dix jours – qu'il remet aussitôt à son ami Roland Laudenbach, le directeur conservateur de La Table ronde, où il paraît en 1953. Quant à Jacqueline, elle ne tarde pas à succomber au charme de leur nouveau mentor. L'amie, Charlotte Nadel, qui le leur avait présenté en vantant les qualités de cet homme « extraordinaire et extravagant », avait pris soin de préciser qu'il avait déjà eu sept femmes. Ce jour-là, Jacqueline Pardon entendit une voix intérieure lui murmurer : « Tu seras la huitième ! » Après la séparation du couple, Jacqueline obtient la garde de ses trois enfants. Elle va, pendant huit ans, partager en effet la vie de Georges Saint-Bonnet, cet « homme hors du commun » qui meurt en 1963. L'année suivante, Jacques publie, aux ésotériques Éditions A.G.I., l'éloge du second mari de sa femme sous un titre éloquent : *Maître de joie*. « Pendant dix ans, les dernières de sa vie, Saint-Bonnet a été mon copain, mon ami, mon père, mon frère, mon confesseur aussi et mon médecin. Tout ensemble. Cependant, jour après jour, il était mon Maître. » C'est ainsi que, au début de son livre, le disciple fervent définit son lien avec l'homme qui, selon lui, a « uni la Terre et le Ciel ». Rien de moins.

10

Jacques Lusseyran n'a jamais oublié le soir du 8 mai 1952 où il s'est rendu, accompagné de sa femme, au 61, boulevard Haussmann. Il avait rendez-vous, pour la première fois, avec

Georges Saint-Bonnet, dont le petit bureau se trouvait au rez-de-chaussée d'une cour pavée. Il ne savait pas grand-chose de cet homme de cinquante-trois ans, sinon qu'il était chrétien, se réclamait de la tradition de Philippe de Lyon et « soignait les gens ». Certains prétendaient que, dans une vie antérieure, il avait été violoniste, coureur automobile, barman, assureur, agent immobilier, banquier, publiciste, journaliste influent, bagarreur, noctambule – mais s'agissait-il bien du même homme ? On lui attribuait aussi quelques fresques historiques ; une cinquantaine de romans policiers, dont le personnage récurrent était l'inspecteur Vasseur ; une ode, parue en 1931, à *Pierre Laval, homme d'État* ; et deux essais empathiques sur le régime de Vichy. Ce qui, étrangement, n'embarrassait guère l'ancien déporté dont la carrière professorale avait été brisée net par le gouvernement du maréchal Pétain. Au contraire, Lusseyran avait l'intime conviction que cet homme mystérieux aurait sans doute le pouvoir de le guérir de cette immense fatigue qui, depuis son retour de Buchenwald, ne le quittait plus, de briser la « charge de plomb » qui alourdissait chacun de ses pas, de dissiper « le nuage très noir » qui flottait autour de lui, de le désencombrer. Le visiteur s'étonna que son hôte, dont il sentit la présence massive, le corps « monumental », ne lui tirât pas les cartes ni ne pratiquât, avec ses mains, le magnétisme. Ce soir-là, Saint-Bonnet, qui refusa d'être payé pour cette consultation,

se contenta de lui dire que la cécité et les souffrances de la guerre n'étaient pas un « malheur »
et que vouloir enseigner était un « bonheur ». Il
lui promit que la fatigue dont il se plaignait allait
bientôt céder pour laisser place à un torrent de
« Joie ». Lusseyran, qui traversait depuis sept ans
une grave dépression, en sortit rasséréné, allégé.
Il avait l'impression d'avoir, pour la première
fois depuis sept ans, entrevu « une clarté subtile
et nourrissante ». Avec une claudélienne exaltation, il parla même de « révélation ».

À partir de cette date, Jacques alla retrouver
chaque semaine son mentor chez lequel il apprit
à respirer, à mesurer son souffle, à lâcher prise
et à identifier sa lumière intérieure. « Le soleil,
lui dit Saint-Bonnet, est un astre noir. » Plein de
Steiner, de Nerval, de Swedenborg et de Fabre
d'Olivet, l'aveugle était aux anges. Il avait rencontré un homme, un « initié », qui l'introduisait
dans un monde invisible et suprasensible dont,
depuis son accident, il avait la prescience.

Après avoir été accueilli dans le bureau exigu
du boulevard Haussmann, Jacques Lusseyran
fut admis à retrouver Saint-Bonnet au Palais
d'Orsay, où il louait une chambre au cinquième
étage. Située sur la rive gauche, en face du Louvre
et des Tuileries, cette gare désaffectée, qui avait
été réquisitionnée en 1945 pour accueillir les prisonniers français retour d'Allemagne, et où certains quais étaient encore dévolus au trafic de la
banlieue, avait été transformée en hôtel, dont la
brasserie immense et humide du rez-de-chaussée

tenait lieu, pour Saint-Bonnet, de salle d'attente et d'agora. C'est là que, chaque jour, à partir de dix-sept heures, se pressait une trentaine de personnes – disciples, malades, réprouvés, simples curieux – qui attendaient fébrilement l'arrivée du « patron », lequel allait de table en table dispenser ses conseils, ses jugements, ses rires, ses calembours, voire des oracles jusque tard dans la nuit, souvent jusqu'aux premières lueurs de l'aube. « C'était, raconte Lusseyran comme s'il avait recouvré la vie grâce à Saint-Bonnet, un vieux bistrot parisien, mais trop grand, trop triste, et trop décoré. Il parlait de gloires anciennes et bourgeoises dont le mode d'emploi s'était complètement perdu. Vous entriez et le plafond tombait sur vous de toute sa hauteur. Et de tout son silence, car cette pièce (c'était sa seule vertu) n'était pas un carrefour de bruits. Il n'y avait ni jukebox, ni radio, ni haut-parleur d'aucune sorte. Bref, vous n'y seriez pas resté et, d'ailleurs, les clients étaient rares. Mais quand Saint-Bonnet s'y trouvait, il n'y avait plus ni fenêtres aveugles ni banquettes éventrées. Il n'y avait plus que lui, et le monde physique ne vous importunait plus : le confort changeait de signe. J'ai passé là, jusqu'en avril 1955, des centaines d'heures et sans doute plus d'un millier, pendant lesquelles je n'ai pas donné une pensée à ce que les gens appellent la *réalité*, c'est-à-dire aux apparences. La mauvaise cave s'était muée en un haut lieu spirituel. »

Au physique, Saint-Bonnet était grand, fort, rond, avec une carrure de montagnard affecté au débardage de sapins. Il mesurait dix centimètres de plus que Lusseyran, portait des lunettes de myope et parlait avec un léger accent provençal tout en fumant des cigarettes et en buvant force pastis, parfois remplacé par le mandarin-curaçao. Sa conversation roulait aussi bien sur la beauté des femmes que sur *L'Éthique*, de Spinoza. Il préconisait à la fois de pratiquer « le yoga de l'amour » et de lire *Les Sept Livres de l'Archidoxe magique*, de Paracelse. Pour désigner Dieu, il usait de synonymes et de métaphores : l'Être, le Centre, la Source, le Non Manifesté, le Principe. Entre deux rasades anisées, il professait que « le ciel est en nous » et que la Joie exprime l'harmonie entre l'homme et l'univers : « Elle est un élément, comme l'air ou le feu, une vibration extrêmement subtile, mais perpétuellement présente en toutes choses et en tous êtres, qui nous pénètre et nous enveloppe. » Ce qui n'empêchait pas le saint homme de piquer de grandes colères ou de jurer tel un cocher de fiacre. Parfois, au nom du Christ dont il se réclamait, il remettait une vertèbre déplacée, prévenait une défaillance cardiaque, soulageait une souffrance articulaire, cicatrisait des lésions, faisait disparaître une sinusite chronique, redonnait espoir à des malades que la Faculté avait condamnés, soignait même à distance, en fixant seulement son regard sur la photographie du patient. Saint-Bonnet était un gourou.

Entre septembre 1952 et octobre 1953, Jacques alla régulièrement à Orsay faire le plein d'énergie et recevoir la parole de ce maître singulier et paradoxal qui professait un mélange de christianisme médiéval et de bouddhisme occidental. Il rejoignait le caravansérail hétéroclite, se mêlait à la foule bigarrée qui comptait des universitaires, des avocats, des agents de police, des coiffeurs, des pharmaciens, des militaires, des gens du cirque et du cinéma – certains célèbres. Était-ce l'effet de la spiritualité ou bien celle du Ricard, Jacques Lusseyran jugea que sa propre santé morale et physique « accusait un mieux manifeste » et « effaçait les quinze années qui (le) séparaient de (son) enfance ». Il n'était plus question de dépression. « Saint-Bonnet ne cessait de me travailler. Il tuait lentement en moi la Maladie. Car il n'y en a qu'une : la peur, qui est le contraire de la joie, le refus de la joie. » Même ses très violentes coliques néphrétiques auraient disparu grâce à lui, qui faisait des miracles : « Il m'avait attrapé par le sommet de la tête, il avait caressé mon torse, puis il avait dissous la douleur de mes reins. Et, à sa place, il n'y avait plus qu'une coulée douce, une grande phosphorescence. »

Bientôt, les deux hommes se tutoyèrent. Georges admit Jacques dans son Groupe Unitiste, désormais situé rue de Grenelle, où les gens venaient « se rafraîchir et se réchauffer ». Le maître y donnait, à heures fixes, des cours sur l'unité de la création, mais le plus souvent priait ses adeptes de rester immobiles et d'observer un silence, long de trente minutes, afin d'exsuder tout résidu de rancœur et de se réveiller en paix avec soi-même. S'ils prenaient la parole, ils devaient d'abord compter mentalement jusqu'à trois. Il leur prédisait une « deuxième naissance », un « grand éveil », une « réintégration », le « salut ». « Il nous nettoyait, dit Lusseyran, nous débouchait les oreilles, nous rinçait les yeux. Plus encore, il désencombrait nos têtes. Nos opinions, nos habitudes, nos préjugés s'en allaient par paquets. Et certes, il savait balayer. Il balayait énergiquement. Il arrivait même que cela fît mal. »

11

L'empire de Saint-Bonnet s'était établi sur l'exact terrain où avait prospéré jusqu'à sa mort, en 1949, celui que Louis Pauwels appelait « Monsieur Gurdjieff » et dont Paris avait fait son autre dieu. Ce Russe arménien avait sillonné le Moyen-Orient, l'Asie centrale, le désert de Gobi et le Tibet avant de se fixer en France, où il avait composé de la musique hypnotique, conçu la figure ésotérique de l'ennéagramme et ouvert un Institut pour le développement harmonique de l'homme, qui ne désemplissait pas. Des écrivains, parmi lesquels Katherine Mansfield et Jean-François Revel, René Daumal, des peintres, des compositeurs, dont Pierre Schaeffer, et des acteurs de premier plan venaient s'y accorder avec l'ordre cosmique, sacrifier aux manifestations médiumniques et pratiquer, en musique, des exercices rythmés par des danses de derviches. La méthode reposait sur une soumission totale des disciples, que Gurdjieff se plaisait, pour mieux les instrumentaliser, à traiter de moins-que-rien, d'« ordures », de « stupides merdités » et à entraîner, au nom d'une obscure thérapie, dans de grandes souffrances physiques. À en croire Jean-François Revel, c'est Gurdjieff qui provoqua la mort prématurée de Katherine Mansfield, alors atteinte de tuberculose. Quant à Louis Pauwels, après s'être plié pendant deux ans aux commandements du gourou, il se retrouva à l'hôpital avec un poids de quarante-cinq kilos et une thrombose de la veine centrale à l'œil gauche. Le gurdjieffisme était une maladie grave et incurable.

Saint-Bonnet, qui comptait bien augmenter son audience en accueillant les déçus de l'ennéagramme, reprochait à Gurdjieff d'en être resté à l'Hermétisme, à Moïse, à la Kabbale, de méconnaître la doctrine de Jésus, de conduire ses disciples vers un monde « privé de l'amour du Père » et d'imposer un enseignement « trop abrupt, trop glacial, trop desséchant ». Trop cruel, en somme. Et d'où l'idée de Joie était absente. Dans le Paris de l'après-guerre, les guides suprêmes se haïssaient.

La facilité avec laquelle Jacques Lusseyran tomba si vite, si fort, si longtemps, et sans exercer jamais son pourtant formidable esprit critique, sous l'autorité et l'influence redoutables de Saint-Bonnet, qui lui répétait : « Ouvrez les yeux, essayez de voir ce qui est », demeure un grand mystère. Nul doute que le fils d'un anthroposophe était, plus qu'un autre, prédisposé à une telle rencontre : toute son enfance avait été rythmée par les vacances à Dornach, en Suisse, où il assistait aux séances d'eurythmie sur la scène du Goetheanum et écoutait des acteurs déclamer des poèmes du *Roi des Aulnes* ou de *L'Apprenti sorcier*. Nul doute que, d'avoir épousé une philosophe formée à la théologie, éprise d'absolu et pareillement fascinée par ce maître spirituel, devait ajouter à sa ferveur, à sa candeur : le couple distendu communiait soudain dans l'ésotérisme. Nul doute enfin que, depuis son retour en France, une persistante, insidieuse mélancolie faisait de lui la proie idéale pour le grand prêtre de l'Unitisme. Il avait connu l'enfer derrière les barbelés, et voici qu'un homme, en ouvrant les « o » à la manière de Raimu, lui promettait le paradis sur terre, avec un peu de mistral, quelques cuillerées de miel et beaucoup de fleurs de lavande. C'était le même qui lui avait enjoint, pour s'en libérer, pour s'en délester, d'écrire ses souvenirs de Buchenwald et les avait fait éditer : comment ne pas lui être redevable d'une telle attention et de telles prévenances ?

Il n'empêche. Jacques Lusseyran avait la grande clairvoyance des non-voyants – son rôle stratégique dans la Résistance l'avait bien montré. Son intuition était comme décuplée par son handicap. Il devinait tout, pressentait l'imposteur comme le marin annonce le gros grain et le paysan, la canicule. Comment et surtout pourquoi n'a-t-il jamais jugé simpliste, pléonastique, la pensée de Saint-Bonnet prétendant libérer l'humanité de sa prison mentale et n'a-t-il pas trouvé suspect son prétendu pouvoir de guérisseur ? Comment a-t-il pu s'exalter à la découverte de ses « chakras » et s'extasier à l'énoncé de tels poncifs : « La mission de chacun est de faire le bien, mais la fatalité de tous est de faire le mal », « Ce qui coule de source coule bien », « Les fleurs dans la prairie, pour les bœufs, c'est du foin » ou « la joie est dans la grâce d'un enfant, dans la beauté d'une femme, dans la pensée d'un ordre ou d'une harmonie, dans l'éclat d'une action généreuse ou honnête et dans toutes les inventions de l'amour » ? D'où vient que cet esprit si fin, si réfractaire à l'ordre nouveau, si hostile aux idéologies primaires, ait trouvé un quelconque intérêt aux numéros des *Cahiers de l'Unitisme* consacrés au « Tarot des Rose-Croix » et à « La magie sexuelle » ? Fallait-il que son désarroi fût profond pour qu'il ait eu le besoin d'aller se réfugier au Palais d'Orsay, dans cette salle des pas perdus, cet hôtel des voyageurs sans bagages, où le grondement des trains de banlieue couvrait, à l'heure de l'anisette, les sentences de l'aruspice rondouillard. Et fallait-il que sa soumission fût totale pour qu'il se félicitât de voir le Patron partager désormais, dans un appartement du boulevard Raspail, la vie de son ex-femme, de la mère de ses enfants au nom miséricordieux, Jacqueline Pardon.

« Il m'aimait et je l'aimais », écrit Jacques Lusseyran de Saint-Bonnet, dans un livre qui, si on veut bien le décharger de tout son fatras ésotérique et de quelques naïvetés, est finalement un panégyrique lyrique, presque touchant, de l'amitié absolue. Car, dans ces années d'après-guerre où l'ancien déporté plongé dans l'obscurité cherchait une raison de se survivre, Georges Saint-Bonnet lui a tendu la main et l'a guidé vers ce qu'il convient d'appeler la lumière.

13

Le 21 février 1965, Jean Hélion adresse à son fidèle Jacques Lusseyran deux très longues lettres. Lui aussi était l'ami de Georges Saint-Bonnet, et il vient de lire *Maître de joie*. Le peintre, qui est un grand portraitiste, ne cache pas son émotion d'avoir, dans ce livre, retrouvé l'homme augural qu'il avait fréquenté. Mais il aurait voulu plus de distance, d'exigence, et moins d'hagiographie dans cet exercice d'admiration bien trop sulpicien. Car s'il tenait

141

Saint-Bonnet pour « exceptionnel, intelligent, sensible, rapide et visionnaire », il le trouvait aussi « aveugle en quelques domaines » et « faux comme un violon désaccordé ». Hélion craint de blesser Lusseyran, il avance dans sa lettre avec une prudence de prédateur, un tact d'aumônier sur un champ de bataille, après la débâcle. Il sait combien il est délicat de contrarier un ami, de désillusionner un disciple, de déciller un non-voyant. Alors, il multiplie les oxymores. Saint-Bonnet était un « raté généreux », un « sage désespéré », « plein de bonheur pour les autres et triste en lui-même ». Un « ange de bonté » et un « ange noir ». Un être doué et un « bonimenteur ». Chez lui voisinaient les pensées lumineuses et « les platitudes » journalistiques, le goût de la vérité et « la médiocrité ». En politique, en art, en littérature, cet homme profond portait des « jugements superficiels ». Il abusait autant de l'alcool que des souverains poncifs. Il avait la faculté d'aider les pauvres, mais aussi une propension à se laisser épater par des gens dont « la réussite était immonde ».

La sagesse et son plaisir, Jean Hélion les trouve désormais dans la compagnie, autrement plus fréquentable, des poètes, parmi lesquels Yves Bonnefoy, Francis Ponge, André du Bouchet. « Quand ils sortent de mon atelier, je me sens plus apte à travailler, le cerveau plus aiguisé. Georges Saint-Bonnet, lui, me laissait le cœur content, mais l'esprit souvent mal à l'aise. » Il lui aura manqué d'être un artiste.

14

L'avant-dernière fois que le disciple rendit visite à son « maître de joie », ce fut pendant l'été de 1961, à l'occasion d'un séjour en France dont ses nouvelles fonctions aux États-Unis l'avaient, depuis trois ans, éloigné. Saint-Bonnet avait pris du recul, il ne quittait plus guère le boulevard Raspail et ne gouvernait plus son propre mouvement. Il se prolongeait en charentaises, avec des cachous Lajaunie. Désormais, « l'ingénieur du spirituel » voulait que, sans passer par lui, « nous nous branchions directement sur l'émetteur central ». Il préconisait à ses adeptes de former des « sous-groupes de travail » où sa présence ne serait plus que spirituelle. Il fallait déjà s'habituer à son absence. Au printemps de 1962, affaibli et amaigri par la maladie, il se retira à Luc-en-Diois, dans la vallée de la Haute-Drôme où il avait grandi, et puis revint en septembre à Paris, où Jacques Lusseyran alla l'embrasser, une ultime fois. « Georges avait atteint son point extrême de pauvreté. Toutes ses richesses d'autrefois, il les avait traitées comme des haillons : une à une, il les avait jetées aux orties. Il ne lui restait plus sur la peau une seule apparence. Il était devenu tout entier "substance". Son feu brûlait sans bruit, juste au centre [...] La sainteté avait été permise à Georges. »

Saint-Bonnet s'éteignit le 17 janvier 1963, dans une clinique de la rue Franklin. Il avait soixante-quatre ans. Jacques Lusseyran apprit la nouvelle à Cleveland, où il commença aussitôt la rédaction de ce tombeau. « Nous avions maintenant, à tout jamais, au-dessus de nos têtes, une étoile : son corps spirituel. »

LE FRANÇAIS D'AMÉRIQUE

1

Il ne voit rien et il voit tout.

Parvenu au sommet des Blue Ridge, les montagnes bleues, situées dans la partie orientale des Appalaches, il écoute le vent glisser subtilement le long des pentes, éprouve « la verticalité de l'espace et ses inflexions au fil des forêts et des roches », ressent dans tout son corps, jusqu'à croire pouvoir en soupeser chaque partie, la masse immobile dressée sous le toit du ciel. Il respire ce paysage somptueux qui lui est interdit, mais dont, mieux que les voyants, parce que sa soif de connaissance est à la mesure de son désir d'aimer, il admire l'immensité et traduit la splendeur. Ici plus qu'ailleurs, le jeune aveugle français a le sentiment rayonnant que « les yeux ne font pas le regard ».

2

Il a trente-quatre ans lorsque, en août 1958, Jacques Lusseyran arrive à New York à bord du paquebot américain *The Independence*, dont les cheminées rouges, coiffées de bandes blanc et bleu, signent fièrement son appartenance aux United States Lines, qui l'ont mis en service sept ans plus tôt. Il a embarqué à Golfe-Juan avec sa nouvelle compagne, Jacqueline Hospitel, et leur fils de trois mois, Olivier. La traversée de l'Atlantique s'est déroulée sur une mer calme, avec des pointes de vitesse à 38,5 nœuds. Le plus clair du temps accoudé sur le pont, bercé par le roulis, il a empli d'iode ses poumons nicotinés. C'était la première fois qu'il faisait, sur l'Océan, un si long voyage. Son cœur battait la chamade. Il quittait, pour un pays qu'il ne connaissait pas, la France épuisée du président René Coty, où la IVᵉ République vivait ses derniers jours et dont le général de Gaulle avait accepté, sans illusions, de diriger le Conseil. Il venait enseigner dans le nouveau monde la littérature et la philosophie de l'ancien. Il avait le feu sacré, et la foi. Bien qu'il pensât exercer un métier « insolite, anachronique, réactionnaire et peu compris », la perspective d'être un passeur de grands auteurs et l'ambassadeur des humanités françaises l'exaltait. Il disait qu'il allait y donner moins des cours que des « recommandations ». Bientôt, la rumeur d'une centaine de jeunes filles en fleur accourues par la route n° 11 pour venir l'écouter ajouterait à son allégresse.

Sur cette nation dont il ne sait rien encore, sauf par les livres de John Steinbeck, Erskine Caldwell, Henry Miller, Robert Penn Warren, Richard Yates, Saul Bellow, J. D. Salinger, William Styron, Edward Albee, James Baldwin, qui pour la plupart ne la ménagent guère et qu'on lui a lus, il a le sentiment étrange et merveilleux qu'il vient de naître pour la troisième fois – la première, c'était en 1924, la deuxième après l'accident de 1932. Le récit qu'il écrira au début de son séjour américain s'intitule d'ailleurs *Le monde commence aujourd'hui*. Son rêve se réalise enfin. Les cauchemars sont désormais derrière lui. Il laisse sans regrets un continent balafré et ruiné qui a incarné le Mal dans sa forme la plus absolue et une Europe à laquelle il n'a donc pas suffi d'avoir Platon, Cincinnatus et Pasteur – « il faut qu'elle ait aussi Barbe-Bleue ! » Venu d'un pays bocager aux fermes fortifiées, il adore l'idée que, sur cette vaste terre, tout ce qui sépare soit prohibé, qu'une loi interdise alors de construire des murs, des clôtures, des remparts, des enceintes, des barrières, et que les volets ne soient jamais fermés ; et pour cause, il n'y en a pas.

Bientôt, il va comprendre ce qui fait le prix des États-Unis d'Amérique : « Je jouis de la liberté. J'enseigne selon ma conscience, dans un pays qui n'est ni clérical ni anticlérical et qui, politiquement, n'est ni tout à fait à droite ni tout à fait à gauche. C'est à peine si on me demande ma couleur morale ou métaphysique. Je ne serai jugé qu'à la longue, avec circonspection, et sur mes seuls résultats. »

3

Depuis septembre, Jacques Lusseyran a donc pris ses fonctions au Hollins College, à Roanoke, Virginie. Tout l'y séduit. Son bonheur est enfantin : « Il y a de la volupté dans l'herbe tondue, dans l'odeur sucrée des pommes et du bois frais, dans la perfection du paysage de montagnes, dans la proximité de la route puissante. » Sa tête est pleine de beaux textes ; elle ne demande qu'à déborder. Il a appris, à Buchenwald, à célébrer ce dont il se souvient. Il a maintenant la preuve que la poésie peut réchauffer ceux qui ont froid, calmer le ventre des affamés, donner de l'espoir à ceux qui l'ont perdu, et qu'elle est universelle. Dans ce collège qu'il compare à une « république d'utopie », glissant d'une discipline à l'autre, à l'aise dans tous les genres, courant de siècle en siècle, il parle, à cent cinquante jeunes filles, de littérature, de théâtre, de philosophie, convoque Rabelais et Sartre, Ronsard et Descartes, Molière et Labiche, Nerval et Bergson, Valéry, qu'il place au-dessus de tous, et il n'oublie même pas Robbe-Grillet, dont il ne raffole pourtant pas, mais qui compte, selon lui. À ses élèves qui veulent connaître la philosophie des Lumières, savoir si Diderot est matérialiste et Camus, pessimiste, ou si Mallarmé est « compréhensible », il ne donne pas de réponses définitives. Au contraire, il leur démontre que rien n'est aussi simple, que la littérature n'est pas une science exacte, il leur « donne des soucis » pour le plaisir de les faire penser par eux-mêmes. Il les incite à faire leurs ces questions posées par les écrivains français contemporains, Ionesco, Genet, ou Beckett. Cet homme libre est un homme-livre. Rien ne le rend plus heureux que de faire aimer la langue de Flaubert et connaître les héros de Stendhal. Il met de l'allant dans ses récits et du « sacré » dans ses exposés. Il se compare au forgeron qui chante au-dessus de sa forge, dans une mélodie brûlante de fer et de feu.

Parfois, à la fin du cours, il arrive qu'une élève, bravant sa timidité, ose venir l'interroger sur sa cécité, s'inquiéter devant lui de l'obscurité dans laquelle il est plongé depuis vingt-cinq ans, et commencer, baissant la voix, à compatir avec lui. Alors, il sourit et l'interrompt. Il lui explique posément que les yeux physiques, « ceux de l'ophtalmologie », ne sont rien ; que voir précède les objets et les couleurs ; que seule compte la lumière intérieure, car elle embellit tout ; et qu'il n'est pas à plaindre, mais plutôt à envier, oui, à envier. L'élève repart, médusée. À la maison, elle racontera à ses parents l'excitation d'avoir, comme professeur, un Parisien aveugle qui a lu tous les livres et pour qui la chair est gaie.

4

Parfois, il leur parle de Diderot. Du *Neveu de Rameau*, de *Jacques le Fataliste*, de *La Religieuse* et même du *Paradoxe sur le comédien*. Mais je n'ai pas trouvé trace, dans son enseignement, de la *Lettre sur les aveugles à l'usage de ceux qui voient*, ce manifeste matérialiste qui valut au philosophe d'être condamné en 1749 pour subversion, impiété, « mépris des Saints Mystères », et incarcéré trois mois dans le donjon du château de Vincennes. Lusseyran est-il trop croyant, trop idéaliste, pour s'accommoder de ce texte sans Dieu où les dévots vivent en aveugles et les aveugles meurent avec plus de lucidité que s'ils avaient des yeux? À moins que le professeur ne fût trop pudique et modeste pour faire entendre à ses élèves une conversation épistolaire et philosophique où il est proclamé que les aveugles, seuls aptes à écouter de la musique, ont des idées du beau « plus nettes que les philosophes clairvoyants » et que « l'œil n'est pas essentiel à notre bonheur ».

Il y a, dans cette *Lettre*, des pages fameuses et magnifiques sur le mathématicien anglais Nicholas Saunderson, qui était aveugle de naissance et imagina une « arithmétique palpable » afin d'avancer toujours plus loin dans ses recherches prodigieuses. Son tact était si délicat et son intelligence des mains si perfectionnée qu'il était capable, en touchant des médailles, de distinguer les vraies des fausses, de même qu'il jugeait « l'exactitude d'un instrument de mathématiques en faisant passer l'extrémité de ses doigts sur ses divisions ». Ce que Diderot dit de Saunderson vaut pour Lusseyran : « il voyait par la peau ». Et comment ne pas penser au jeune Volontaire de la Liberté qui entra sans trembler dans la Résistance en lisant, sous la plume du philosophe des Lumières : « L'aveugle qui n'aperçoit pas le danger en devient d'autant plus intrépide, et je ne doute point qu'il ne marchât d'un pas plus ferme sur des planches étroites et élastiques qui formeraient un pont sur un précipice. Il y a peu de personnes dont l'aspect des grandes profondeurs n'obscurcisse la vue. »

5

À peine a-t-il posé les pieds sur le sol américain qu'il s'enivre de folk, de blues, de jazz, de spirituals, persuadé qu'un peuple « qui tient le rythme tient également la vie ». Il est redevenu le petit garçon que son père emmenait autrefois à Pleyel ou à Gaveau et qui peinait à canaliser toutes les émotions qui le submergeaient, à classer toutes les images phosphorescentes qu'un concerto de Mozart ou une symphonie de Beethoven avaient fait défiler en accéléré dans sa tête. Lui qui a grandi au milieu des violoncelles et des pianos à queue se prend ici de passion pour le banjo, l'harmonica, la guitare, la trompette, la batterie. Il découvre, avec fascination, les voix de Josh

White, Joan Baez, Judy Collins, Pete Seeger, Bob Gibson, Ed McCurdy, Bob Dylan, ce « Rimbaud des faubourgs, sans la grande fortune des mots », tous ces folksingers qui « remuent l'Amérique en la berçant ». Et puis, il y a Odetta Holmes, Odetta pour ses fans, cette jeune femme noire qui milite pour les droits civiques et chante : « Ma lumière, ma petite lumière, je m'en vais la faire briller ! » Jacques Lusseyran est bouleversé, il a l'impression que c'est à lui seul qu'elle s'adresse. Elle illumine sa nuit perpétuelle. Il écoute en boucle, sans fin, la voix protestataire de cette Odetta qui a « un cœur de feu » et dit non à la ségrégation, à l'humiliation, à l'injustice, et à tous les aveuglements.

6

Aux États-Unis, enseigner est son métier, mais écrire est sa raison d'être. Extrait d'une lettre adressée à ses parents : « Je le répète, il n'y a rien d'autre. Les jours où j'ai écrit, je Suis. Il peut m'arriver tout ce qu'on voudra. J'aime le monde et tout ce qu'il contient. Si je n'écris pas, je suis un infirme. » S'il écrit, il n'est donc plus handicapé. Il vit mieux, plus fort, plus haut. Composer un livre est la seule manière qu'il a trouvée pour empêcher son exaltation américaine de retomber et sa dépression française, jamais vraiment éteinte, de revenir en tapinois. D'autant que son travail est désormais facilité par un magnétophone, dont il vient de faire l'acquisition, grâce auquel l'écrivain peut improviser, mettre son texte en bouche, le clamer, le discuter, le corriger et le dicter. Les idées de récits, de romans, de contes, de pièces de théâtre se bousculent. Il se rêve à la fois Shakespeare et Camus. Il est toujours pressé, il aimerait avoir mille et une vies.

7

« Je me sens jeune, très jeune, écrit-il à peine installé en Virginie. C'est la raison qui me pousse à écrire. D'autant plus que ma jeunesse est pleine de souvenirs. Et ce n'est pas contradictoire. » Dans *Le monde commence aujourd'hui*, Jacques Lusseyran semble vouloir solder son passé pour mieux vivre l'instant présent. Il n'évoque à nouveau son expérience concentrationnaire que pour tenter, une fois encore, de s'en libérer définitivement. C'est un homme neuf qui habite les États-Unis. Ajouté à la cécité, l'exil est un royaume qui le stimule plus qu'il ne l'inquiète. « Je suis parisien, parisien des maigres jardins publics, du Luxembourg et du Champ-de-Mars, et me voilà jeté sur le flanc des montagnes très belles et barbares, tout habillées de vraies forêts à perte de souffle. Cette fois, c'est l'air et le silence qui me font parler parce qu'ils ont, ici, la plénitude d'un chant. »

Ivre de parfums, de vents et de reliefs inédits,

il décrit comme personne les paysages qu'il découvre, les forêts des Appalaches où il se promène, les vallées rocheuses où il s'enfonce, les immenses prairies de western où il s'imagine galoper, les massifs de Catawba et de Fort Louis qu'il arpente, la terre « violette et brune » au-dessus de laquelle le soleil de novembre tournoie comme un grand oiseau de proie.

8

À peine a-t-il mis un point final à sa déclaration d'amour au Nouveau Monde que Jacques Lusseyran a l'idée pressante de rédiger, sept ans après l'originelle, une version américaine de *Et la lumière fut*. Il ne s'agit pas pour lui de traduire son propre livre, mais, sans le relire, ou plutôt sans se le faire relire, d'en écrire « un tout neuf », qui pourrait « intéresser les gens d'ici ».

Il s'attelle à la tâche presque jour et nuit, avec ferveur, change tous les noms (à de rares exceptions près), serre son texte, muscle sa prose, biffe ce qui pouvait être trop sentimental ou trop emphatique, prend du recul pour décrire son extraordinaire aventure. Les deux *Et la lumière fut* n'ont plus rien à voir, en effet.

Premières phrases de l'édition de 1953 : « Je commençai ma vie par le bonheur. Mes parents m'aimèrent dès que je fus entre eux, sans réserve ni partialité. La tendresse expansive, passionnée de ma mère restera toujours lucide ;

la surveillance de mon père fut chaleureuse et confiante. Je ne connus, enfant, que le dévouement et la noblesse de cœur. »

Premières phrases de l'édition américaine, qui paraît, en 1963, sous le titre *And There Was Light* et allait être suivie de l'allemande (*Das Wiedergefundene Licht*) et enfin de la française : « Dans mes souvenirs, mon histoire commence toujours à la façon d'un conte de fées banal, mais d'un conte de fées. Il était une fois, à Paris, entre les deux guerres mondiales, un petit garçon heureux. Et ce petit garçon, c'était moi. Quand je le regarde aujourd'hui, depuis ce milieu de ma vie que j'ai atteint, j'éprouve de l'émerveillement. C'est si rare une enfance heureuse. Et puis, c'est si peu à la mode de nos jours qu'on croit à peine que c'est vrai. Pourtant, si l'eau de mon enfance est claire, je ne vais pas essayer de la salir : ce serait là la pire des naïvetés. »

9

Lorsque son livre paraît aux États-Unis, où il rencontre un très grand succès, Jacques Lusseyran a quitté, sous les applaudissements et les bouquets de fleurs, la Virginie depuis deux ans. La Western Reserve University de Cleveland, dans l'Ohio, lui a fait des propositions qui ont flatté l'ancien banni du concours de Normale Sup : « Ce n'est pas seulement une situation qu'on m'offre, c'est une reconnaissance.

On veut de moi. » Il s'agit, pour lui, d'enseigner la littérature du siècle des Lumières aux étudiants en licence, de dispenser des cours de stylistique aux doctorants, de diriger un séminaire sur le XXe siècle et un autre sur « l'expérience poétique en France, du néoclassicisme au surréalisme ».

Il accepte cette nouvelle fonction, sans pour autant cesser d'écrire des romans qui ne seront jamais publiés : *Quitte pour la peur*, *La Cage*, bientôt *Le Puits ouvert*, et des pièces qui ne seront jamais montées : *Il y a une pente* et *Les Pacifiques*. Ses éditeurs, parmi lesquels Roland Laudenbach, de La Table ronde, lui refusent, manuscrit après manuscrit, ses œuvres d'imagination. Ce n'est pas qu'ils les trouvent mauvaises, non, elles sont seulement banales. Il faut les comprendre : pour eux, son existence dépasse toute fiction et aucun personnage inventé ne saurait arriver à la cheville du vrai résistant aveugle dont nul romancier n'aurait osé dessiner la geste épique et l'invraisemblable survie. Grandeur et misères de l'héroïsme : l'époque voue un culte à Jacques Lusseyran pourvu qu'il ne sorte pas de son rôle d'acteur et de témoin, pourvu qu'il demeure pour toujours un rescapé de l'enfer concentrationnaire. Tout le reste est littérature et semble ne pas la concerner.

Ces refus à répétition le blessent, mais ne le découragent pas. Même si les autres en doutent, lui est convaincu d'être un écrivain qui, à peine a-t-il fini d'enseigner, se jette sur sa petite machine

– sa femme l'entend parfois crépiter jusqu'au lever, pour lui seul invisible, du soleil. Un écrivain dont il prétend que la cécité augmente à la fois la faculté de création, la sensibilité, la spiritualité. D'être incompris ajoute encore à sa fièvre. Sur le bureau, ses tapuscrits s'amoncellent. Ils forment une œuvre sans lecteurs, sans lendemain. C'est d'une poignante tristesse.

10

Comme à Roanoke, la rumeur se propage très vite à Cleveland. Il n'est bon bec que de ce Français sans yeux, autrefois déporté à Buchenwald, dont les cours de littérature passent pour des leçons de magnanimité et de sagesse. On se presse pour écouter celui qui vient de recevoir le prestigieux prix Carl-Wittke du meilleur professeur. On loue sa culture encyclopédique, son magnétisme, son charisme, la *clarté* de son enseignement. Sa séduction aussi, où entrent, à parts égales, la virilité des résistants et la délicatesse des aveugles. Parmi les élèves, une jeune fille de vingt-deux ans, une de plus, succombe au charme de Jacques Lusseyran. Elle s'appelle Toni Machlup, mais elle est née Berger, comme l'étoile. Elle fixe le regard sans vie du maître. Il boit les paroles de sa disciple. Et la lumière fut.

Ils se cachent pour s'aimer. Leur ardeur n'a d'égale que leur naïveté. Car l'Amérique puritaine est intraitable. La liaison entre l'enseignant et son élève va provoquer, à Cleveland, un scandale mémorable. Non seulement Toni est de dix-sept ans la cadette de son amant, mais elle est aussi l'épouse d'un très influent professeur de physique dans la même Western Reserve University, et elle est la mère de petits jumeaux, Eric et Peter. La société juge inacceptable qu'elle saccage sa famille pour un homme marié et humilie son notable d'époux pour un étranger. Mais ni les blâmes, ni les lazzis, ni les menaces ne la détournent de son projet fou : quitter son confort, tourner le dos à la respectabilité, et refaire sa vie avec Jacques Lusseyran. Lui-même est pressé de quitter le domicile conjugal, où sa femme, vindicative après avoir été complice (elle le conduisait parfois dans les chambres en ville et les motels où les amants s'étaient donné rendez-vous et où, renversant les lois du vaudeville, l'aveugle ne pouvait se rendre qu'en étant accompagné par son épouse), se montre de plus en plus acrimonieuse et cruelle envers l'infidèle, jusqu'à, de rage, le faire tomber un jour dans l'escalier, avant de regretter son geste.

En 1966, Jacques finit par se séparer de Jacqueline Hospitel et Toni, de son mari. Aucun des deux ne reverra jamais ses enfants respectifs, Olivier pour lui, Eric et Peter pour elle – un drame dont ils ne se remettront jamais. Toni Machlup fait le choix de changer de prénom et de nom, pour les franciser et se métamorphoser. Elle s'appelle désormais Marie Lusseyran. Elle est la troisième et dernière femme du « Full

Professor ». Mais Cleveland ne veut plus de ce couple immoral, qui dérange et insulte l'ordre établi. Il doit s'exiler au plus vite afin d'échapper aux gémonies. Jacques Lusseyran demande et obtient alors un congé sabbatique. Comme en 1947, lorsque la France l'avait rejeté et qu'il avait été contraint d'accepter un poste d'enseignant au lycée de la Mission laïque de Salonique, il décide de partir pour la Grèce, sur l'île de Samos. C'est là que, sous le regard attendri de sa nouvelle compagne et le soleil de la Méditerranée, il écrit *Douce, trop douce Amérique,* afin de saluer, une dernière fois, son pays d'adoption et payer sa dette. Après quoi il retrouve son pays natal et, malgré de lourdes difficultés financières, s'installe à Aix-en-Provence pour une longue période – de novembre 1967 à juin 1969 –, le temps de se consacrer au *Puits ouvert,* un roman d'inspiration autobiographique dans lequel il raconte par le détail, en la transposant, la terrible crise amoureuse qu'il vient de traverser et que la cécité a rendue plus difficile à surmonter.

Une fois encore, les éditeurs ne voudront pas de ce trop gros manuscrit de six cents pages serrées. Ils ne veulent décidément pas de l'écrivain, ils ne s'intéressent qu'au rescapé. Ils sont aveugles, car *Le Puits ouvert* est une grande tragédie grecque transposée à Philadelphie dans les années soixante, au moment des émeutes raciales. Un enseignant français, marié et père d'un garçonnet, est attiré par ses jeunes étudiantes et tombe follement amoureux de l'une d'entre elles. Mais le coup de foudre est un casse-tête, qu'il noie dans le whisky et le gin-tonic : « J'avais des souvenirs par milliers, une maison, mon titre de professeur, ma timidité, mes quarante ans, mon honneur, mes devoirs, la haute opinion de tant d'autres sur moi. Elle avait son mari, en route vers le succès, des parents en ville, des beaux-parents en ville, des voisins jaloux de sa beauté, quelques-uns la lui pardonnant, tous la brûlant des yeux. Elle avait déjà grande maison, beaux vêtements, des sorties, des voyages, sa candidature au doctorat, sa précocité, son mystère. Nous n'avions pas la place pour bouger. Tout était contre nous, pressant sur nos heures, comptant nos baisers, les chassant. Tout, jusqu'à nos rêves, heurtait du vivant, du légitime, de l'intouchable, du promis. Nous allions faire crier quelqu'un d'un instant à l'autre, faire souffrir. » Il décide néanmoins de ne pas cacher sa liaison à sa femme qui, pour ne pas le perdre, feint un temps de s'en accommoder. Plane ainsi, sur le début du roman, l'illusion d'un amour à trois, pendant que la ville est sens dessus dessous. Il ne sacrifie pas son foyer à sa maîtresse, il croit pouvoir mélanger ses deux vies, contourner l'ordre social, suspendre la vengeance de son épouse qui, épuisée par trop de tolérance, de patience, finira par l'insulter, le violenter, le torturer, lui reprocher ses « chienneries » en hurlant, et tout salir. Car les petits arrangements avec la passion ne durent jamais et l'homme tenté par la polygamie devra faire un choix. On pourrait se croire dans un roman électrique, et sans happy end, de Philip Roth.

Malgré ses longueurs inutiles, ses digressions énigmatiques, son trop-plein d'émotions et d'adjectifs – tout est si récent et si brûlant encore, si lumineux et si obscur à la fois –, *Le Puits ouvert* est un beau et terrible livre sur le bonheur et la douleur d'aimer, sur la difficulté, pour un esprit loyal, de se découvrir infidèle, et aussi sur le combat que mène un corps blessé par l'Histoire pour s'accomplir au présent – « La lune voudrait que je redevienne un homme très ancien. Elle n'aime pas mes désirs, elle n'aime que mes souvenirs. Je ne suis plus à son goût, elle me blesse. »

11

Pendant que son père travaille nuit et jour à ce roman, Claire, qui n'a pas vingt ans, juge que ce sont les plus beaux moments de sa vie. La première fille de Jacques Lusseyran et de Jacqueline Pardon étudie en effet les Lettres à la Faculté d'Aix-en-Provence. Après une interminable attente, pendant laquelle s'éloignait toujours plus le rêve de le serrer dans ses bras, elle a enfin son père pour elle. Elle habite chez lui et sa jeune femme, d'à peine sept ans son aînée, dont elle se sent vite complice. Chaque jour, pressée de rattraper le temps perdu, elle peut parler et marcher avec cet homme qu'elle n'a plus vu depuis son départ pour l'Amérique, lui dire tout ce qu'elle n'a jamais pu lui dire, écouter ce professeur particulier lui raconter, en virtuose aguerri, l'histoire enchantée de la littérature, lui présenter ses camarades d'université, qu'il s'empresse de galvaniser, et dîner à la table qu'il préside avec des manières et une éloquence de sociétaire du Français. Il est passionné, volubile, généreux. Elle est éblouie, attendrie, heureuse. Et pourtant, ce père qu'elle adore, au point de le mythifier, ressemble davantage à un ami, au meilleur de ses amis.

Car il a trop tardé à réapparaître. Et il a quitté autrefois la France et sa famille sans se retourner. La cicatrice ne se refermera jamais. Les trois enfants, Jean-Marc, Claire et Catherine, ont eu le sentiment, en 1958, d'être abandonnés. C'est à la grand-mère paternelle qu'a incombé la charge d'élever les deux fillettes que leur père avait laissées pour une nouvelle vie et que leur mère, partageant désormais celle de Georges Saint-Bonnet et peu portée sur l'éducation, avait préféré éloigner. Quant à Jean-Marc, il fut confié depuis sa plus tendre enfance à sa grand-mère maternelle, Charlotte Pardon, qui habitait sur la Côte d'Azur, à Cannes, et qu'il adorait.

Même à l'époque où, après son divorce d'avec Jacqueline Pardon, en 1954, Jacques Lusseyran habitait avec sa deuxième femme, l'autoritaire Jacqueline Hospitel, Claire, âgée de huit ans, avait du mal à communiquer avec ce père qu'elle adulait, mais que les soucis et les travaux accaparaient trop pour être vraiment disponible. Alors, la fillette attendait la tombée de la nuit pour ouvrir un placard où était rangé le masque en plâtre de son père qu'un de ses élèves, afin de lui témoigner son admiration, avait fait mouler par un sculpteur. Elle s'en saisissait pour dialoguer avec lui, le caresser et jouer, dans la pénombre, la comédie de la tendresse. Terrible et bouleversant guignol où une enfant criait, à voix basse, son manque d'amour et réclamait à une statue des sourires et des baisers. Un soir, le masque lui était tombé des mains et s'était brisé. On l'avait réprimandée et punie. C'en était fini du jeu de rôles où elle faisait et les questions et les réponses. Plus de plâtre, plus de père. Bientôt, il partirait sur un gros bateau qui traverserait l'Atlantique et il aurait, là-bas, d'autres enfants...

Elle pense à tout cela, l'étudiante d'Aix-en-Provence, en reprenant, dix ans plus tard, le fil brisé d'une conversation imaginaire et interrompue. Cette fois, son père ne porte plus de masque. Il est en chair et en os. Elle lui dit qu'elle l'aime, mais il reste un peu de mélancolie dans sa déclaration et quelques reproches dans son affection. Devine-t-elle que l'avenir sera sombre et que, dans une famille recomposée, on ne répare pas ce qui a été trop violemment saccagé, trop brutalement cassé ? Jean-Marc, le grand frère, ne pardonnera jamais à son père – Mon Dieu, pourquoi m'as-tu abandonné ? Et plus tard, Catherine, la sœur cadette, la petite dernière, née quand son père avait déjà rencontré sa deuxième femme, mettra fin à ses jours. Tant de désastres, qu'un destin exemplaire a provoqués. Tant de souffrances, que le disciple du maître de joie n'a pas su guérir.

Le temps a passé. L'oubli a fait son travail arachnéen. Claire s'occupe seule, aujourd'hui, d'entretenir la mémoire de Jacques Lusseyran et de faire connaître son œuvre. Une œuvre autobiographique dans laquelle il évoque ses parents, les femmes qu'il a aimées, ses amis de cœur et de lycée, ses camarades de Résistance et de captivité, ses élèves américains, mais où il ne parle jamais de ses enfants, l'angle mort de sa vie.

12

L'achevé d'imprimer est daté du 12 avril 1968, à Saint-Amand (Cher). Avec *Douce, trop douce Amérique*, Jacques Lusseyran fait son entrée aux prestigieuses Éditions Gallimard. Il en rêvait depuis si longtemps. Être enfin publié dans la collection Blanche, en vérité un blanc cassé, presque crème, dont il imagine l'élégante sobriété en caressant la couverture sur laquelle se détachent les lettres rouges du titre, noires du nom, et le sigle, en italiques bas de casse, de la *nrf*. Il est fier de rejoindre une maison qui regorge d'auteurs dont il est, aux États-Unis, l'ambassadeur et de voisiner, au catalogue, avec cet écrivain qu'il considère comme un modèle et à côté duquel il a été photographié avant qu'un accident de la route n'interrompe sa course folle : Albert Camus. Mais ce livre auquel il tient tant, où il a rassemblé les impressions, les choses vues, les rêves d'un Français d'Amérique, disparaît à l'instant même où il paraît. Lorsque les premiers exemplaires arrivent en effet dans les librairies, en mai 1968, Paris est sens dessus dessous. Le Quartier latin est en guerre. Les barricades sont érigées, les arbres arrachés, les pavés lancés. Bientôt, la France entière se met en grève et s'arrête de tourner. Alors, la littérature...

Rédigé au début des années soixante et au lendemain de l'élection de John Fitzgerald Kennedy, ce livre qu'on n'a pas lu est étonnant. On dirait un trompe-l'œil. Le trompe-l'œil d'un aveugle. Qui ne connaît pas Lusseyran ne peut, le lisant, imaginer que cette relation d'un pays « sérieux et appliqué » dont il a emprunté les routes du sud au nord, des immenses champs de tabac jusqu'aux grandes villes, est établie par un homme dont les yeux, qu'il prétend « cloués » sur l'horizon et attentifs aux moindres détails, sont morts. Il n'y a pas une page, pas un paragraphe de ce récit de voyage où le soleil brille, où les boulevards sont géants, où les banlieues résidentielles sont opulentes, où les églises sont pleines, où les ponts sont si hauts qu'on oublie avoir franchi un fleuve, qui puisse laisser à penser que son auteur est nyctalope. Mieux encore, il s'ingénie à donner au lecteur l'impression qu'il jouit d'un regard de lynx. Dès les premières lignes, il écrit : « Je me disais que mon sentiment de sécurité augmentait depuis quelques semaines, qu'il faisait des progrès décisifs, quand j'ai aperçu Ed et sa pipe. » Et aussitôt, il s'inquiète de savoir si, afin de sortir du campus à la beauté asymétrique et aux pelouses bien peignées, où « tout est prêt pour la meilleure circulation des corps et des esprits », il existerait des cartes d'état-major de la région aux « collines plates, prospères et reposantes » où il vient d'être nommé professeur : « On m'a alors sorti une dizaine de cartes routières, celles de toutes les marques d'essence, mais moi je ne les trouvais pas détaillées. Ce qu'il me fallait, c'était les petits chemins. »

Des étudiantes venues l'écouter, il dit qu'il y a « un grand plaisir à regarder leurs visages nus », qu'elles sont « plaisantes à voir », avec leurs chandails, leurs jupes simples, leur sourire de majorette et leur mine naturelle, jamais renfrognée ni effarouchée. « Les unes sont blondes et sveltes ; les autres brunes et boulottes. Et pourtant, elles se ressemblent », écrit le professeur, qui prétend les regarder marcher, aimer les regarder marcher. « Il faudra, écrit-il, que j'aie l'œil ouvert. » Et il insiste : « Il faut *voir*. » Ô, merveilleux, bouleversant mensonge, qui trouve son expression la plus raffinée dans un chapitre consacré aux Noirs. « Dans mon université, écrit-il, nous avons des étudiants noirs. Plusieurs d'entre eux sont devenus mes amis. Mais justement, je ne les vois pas non plus : ils sont cultivés, ils parlent français, ils sont sur leurs gardes, je les traite en égaux. Ils sont mes égaux, et cela n'est plus de jeu. Je veux dire que c'est mon jeu, mais pas celui de l'Amérique. Et puis moi, si je ferme les yeux, j'oublie aussitôt, complètement, qu'ils sont noirs. » Ce « et puis moi, si je ferme les yeux » est d'un aplomb sidérant, d'une audace folle, d'une crânerie confondante. C'est le seul de ses livres dans lequel Jacques Lusseyran ait posé comme postulat que rien ne le distinguait des autres écrivains. De son handicap, le lecteur ne doit rien savoir, dont il attend la complicité, voire l'estime, mais surtout pas la pitié, la poisseuse, la sentimentale, l'inutile pitié.

13

Ce n'est pas tant qu'il ait l'intention, avec ce livre, d'abuser son lecteur. Lusseyran n'est ni mythomane ni tricheur. Il a une sainte horreur de la tromperie. C'est un honnête homme. Il veut seulement se prouver à lui-même qu'un non-voyant peut être un excellent écrivain-voyageur, qu'il a même la faculté de voir, de sentir, de palper, de comprendre tout ce à quoi, par une sorte de fatalisme routinier, de somnolence éveillée et confortable, les bien-voyants sont indifférents. Ce sont, dit-il, « la sève, le courant, la pulsation, le moteur, l'étoffe ». Pour lui, être aveugle est une manière philosophique d'être au monde, de s'y accrocher par l'intérieur, d'en jouir à chaque instant, d'en éprouver jusque dans la chair l'invisible beauté, et de ne s'en lasser jamais.

Ce fut ça, finalement, le grand rêve américain de Lusseyran : voir même ce qu'on ne voit pas.

14

Exercice d'admiration pour une nation jeune, « mais qui a décidé de mourir vieille », pour un pays hospitalier qui aime les savants, mais ne méprise pas les ignorants, *Douce, trop douce Amérique* est aussi un exercice de gratitude, exprimée par un rescapé des camps de la mort à un peuple qui lui a appris « à ne plus avoir peur » et par un Français dont la France n'a pas voulu, mais dont il n'a cessé, en l'enseignant, de glorifier le génie. « "Comme je m'y sens bien dans ce pays ! Comme il m'adopte ! Il y a de la place pour toi", voilà ce que j'y entends partout. Les choses me parlent. Elles ne chantent plus la vieille rengaine de l'avarice. J'ai atteint tout de suite un niveau du bien-être dont je n'avais jusqu'alors que rêvé. Je me cale contre un oreiller de matière joufflue. Mais qui me dit après tout qu'il est de matière seulement ? »

15

Nouveau départ, nouvelle affectation de l'exilé nomade : en 1969, Jacques obtient, à l'université d'Hawaï, dans le quartier de Manoa, la chaire de littérature française contemporaine. Certains prétendent que, dans les rues d'Honolulu – « la baie abritée », en hawaïen –, sur la plage de Waikiki et jusque sur les hauteurs volcaniques de Diamond Head, il marcherait pour la première fois de sa vie aux côtés d'une chienne berger allemand, Kima, qui le guiderait. Elle serait ses yeux. Il serait sa voix. Mais la rumeur, colportée sans doute par ses élèves, est fausse. Celui qui a toujours refusé, parfois énergiquement, de porter une canne blanche n'allait pas confier ses pas à un chien d'aveugle. Du plus loin qu'il se souvienne, il n'a jamais manqué d'un bras ami, d'une main tendre, d'une épaule solide pour l'accompagner lors de ses longues et quotidiennes promenades, et pour lui permettre de feindre d'être bien voyant. Ceux qui le croisaient l'enviaient seulement d'être toujours en bonne compagnie, s'étonnaient seulement qu'il ne fût jamais abandonné. Cela ajoutait à son prestige.

Pour Jacques Lusseyran, vivre et travailler dans la capitale d'Hawaï évoque de lointains et très proches souvenirs. À une quinzaine de kilomètres de l'amphithéâtre où il enseigne se trouve en effet la base navale de Pearl Harbor que l'aviation japonaise bombarda le 7 décembre

1941, provoquant l'entrée en guerre des États-Unis. Ce jour-là, au lycée Louis-le-Grand, le jeune chef des Volontaires de la Liberté recevait de son professeur d'histoire, Pierre Favreau, des leçons de désobéissance et de résistance à l'ennemi qu'il n'a jamais oubliées.

16

Le 5 décembre 1969, à Honolulu, Jacques Lusseyran épouse Toni Berger, alias Marie. Sans famille, sans enfants, sans rien ni personne qui les rattache à leur passé, comme oubliés d'eux-mêmes, ils sont bien seuls à fêter, sous les tropiques, cet heureux événement. C'est à peine si l'on sable le champagne. On dirait, célébrée en anglais, l'union clandestine de deux évadés qui ont si peu en commun et, dans des habits du dimanche, fuient on ne sait trop quoi. Ils semblent se tenir par la main pour ne pas tomber et rire pour ne pas pleurer. Ils voudraient croire que, pour eux, le monde commence aujourd'hui, mais ils ne savent pas que, désormais, le temps ne leur sera guère généreux.

LE DERNIER ÉTÉ

1

La folle passion que l'insatiable Jacques voue
à Marie lui inspire un ultime livre, écrit dans la
fièvre, brûlant comme l'orgasme, dont il ignore
que c'est un adieu à la vie amoureuse.

Même s'il s'applique et s'ingénie à disserter
sur le plus vieux des sentiments, c'est de lui
qu'il parle à chaque ligne, et du bonheur sans
limites que les femmes lui ont donné. Elles
l'avaient dédommagé de l'insouciance dont le
destin l'avait privé et réalisé cette prouesse dont
les hommes sont bien incapables : se glisser en
secret dans sa nuit pour l'habiter voluptueu-
sement avec lui, et ne plus vouloir quitter cet
étonnant palais souterrain. Et puis, elles n'appartenaient pas à cet ordre social masculin qui
tenait les séducteurs pour des criminels, les

hédonistes pour des polygames, et les aveugles pour des castrats.

Trois fois marié, mais cent fois conquis, infidèle à toutes, mais fidèle à chacune – « J'aime la fidélité, elle empêche l'amour de vieillir » –, il n'a jamais pu vivre sans elles, dont les corps l'ont fait chavirer, l'ont éclairé, lui ont rendu la vue : « Un être s'allume devant vous ; vos yeux sont pleins de lui, ils le touchent partout. Et voir un être complètement, c'est déjà l'aimer. »

À l'en croire, il était né avec cet irrépressible désir. Dès ses cinq ans, son cœur palpitait à la seule idée de rencontrer une petite fille. À l'école, il mitraillait ses camarades de questions sur leurs sœurs pour savoir à quoi elles rêvaient, comment elles étaient au réveil, quels étaient leurs goûts, leurs manies, leurs caprices, le parfum de leur peau et de leurs cheveux. Il avait déjà « la passion de l'amour » et, précisait-il, « une sexualité précoce ». La cécité n'avait fait que les exacerber.

Car ce que ses yeux ne voyaient plus, ses autres sens le réclamaient avec une autorité plus impérieuse encore. Il avait besoin, pour se les représenter, de toucher, caresser, respirer, dévorer, pénétrer le corps des femmes, lesquelles étaient heureuses, selon lui, de n'être pas vues et d'être davantage fantasmées, excitées aussi à l'idée de guider ses mains délicates sur leur formes expressives. « Tout à coup, l'homme est dans la femme : il ne la voit plus, il la vit. » C'est, avouait-il, ce qui lui avait le plus manqué durant

172

ses mois de captivité à Fresnes, lorsqu'il était enfermé avec trois autres détenus dans vingt-cinq mètres cubes d'air mort, et surtout pendant ses années de déportation à Buchenwald. Comme si, plus que de la faim, du froid, de la saleté, de la maladie, des tortures, des humiliations, il avait d'abord souffert de cette pénurie criante, comme s'il avait failli mourir de ne pouvoir dessiner, avec ses doigts, sur sa paillasse mitée, le galbe d'un sein, la rondeur d'une fesse, le velouté d'une hanche, la chaude broussaille d'un sexe, la longiligne tendreté d'une cuisse.

Derrière les barbelés, ce désir sans emploi tournait au supplice lorsque les autres déportés, sachant qu'il parlait couramment l'allemand, venaient le voir en procession pour le prier de dicter, dans la langue des bourreaux, le texte de la carte mensuelle que les S.S. les autorisaient à envoyer à leur famille, c'est-à-dire le plus souvent à leur épouse, à leur compagne, ou à leur maîtresse. Commis d'office, l'écrivain public du camp devenait alors le dépositaire de tant de mots d'amour, un porteur de flamme, le messager de la concupiscence inaccomplie, et tous les regrets, tous les espoirs de ces hommes squelettiques contraints à l'abstinence exacerbaient sa propre et douloureuse envie de serrer contre son ventre le corps des destinataires, qu'il voulait ravissantes, de ces missives improbables. « Entrer en érection, pour un homme, c'est apprendre qu'il existe, écrit-il dans *Conversation amoureuse*. C'est la plus grande concentration de lui-même, cela le résume. » Et sans femme, Jacques Lusseyran n'existait pas. Il existait encore moins que les voyants. Pour lui, en effet, de tous les sentiments, seul l'amour avait un visage.

2

Chaque été, il revient en France. Il a la nostalgie des odeurs. Il a besoin de respirer les arbres, les fleurs, les saisons, l'air de son pays. C'est un rituel olfactif, dont le centre éternel et irradiant est le jardin clos et giralducien de Juvardeil.

Le 27 juillet 1971, avec Marie, qui tient le volant d'une voiture louée à Paris, il va chercher à l'aéroport de Nantes une amie américaine qui n'a pas participé à la curée moralisatrice de Cleveland contre le couple adultérin et, au contraire, a encouragé son départ précipité pour la Grèce. Les bords de la Loire sont vert tendre, ils sentent la vase, le tilleul et les fruits rouges. Les routes sont droites et calmes. À la radio, Michel Delpech chante *Pour un flirt*, Joe Dassin, *La Fleur aux dents*, Joan Baez, *Here's to you*, et une autre Marie, *Soleil*, qui lui a valu la Rose d'or d'Antibes : « Toi qui connais bien le secret des fleurs, soleil, dis-moi si l'amour fera son jardin dans mon cœur. Soleil, je ferme les yeux et je vois du bleu danser sur la mer. Soleil, tant qu'on n'est pas deux, on vit dans un jardin d'hiver... »

Soudain, près d'Ancenis, à la hauteur de

Saint-Géréon, au lieu-dit La Robinière, alors qu'une fine pluie commence à tomber, la voiture fait une embardée pour une raison inexpliquée après un virage et s'écrase contre un arbre. La violence du choc est telle que la conductrice et son passager sont éjectés de l'habitacle et projetés sur le macadam. Le véhicule qui les suivait n'a pas le temps de freiner, il roule sur les deux corps inanimés dans un fracas de chasse à courre. Marie et Jacques avaient respectivement trente et quarante-sept ans. Le journal *Ouest-France*, dans son édition nantaise du 28 juillet 1971, titre : « Deux habitants de Honolulu sont tués sur la RN 23. » Ainsi va la postérité. Rien, dans l'article, sur l'écrivain résistant, pas davantage sur l'enfant du pays. On signale seulement la disparition accidentelle, pendant les vacances, de deux touristes hawaïens... Ils seront enterrés, ensemble, dans le petit cimetière de Juvardeil, où repose la famille maternelle de Jacques et où jamais celle de Toni Berger ne viendra déposer une fleur.

Deux jours plus tôt, le couple avait rendu visite à Jacqueline Pardon, dans son appartement parisien. Jacques Lusseyran, cet homme « hors du commun », avait alors confié à sa première femme son grand projet : être « plus incarné », et ses regrets : « J'ai cultivé mon intelligence, exprimé ma sensibilité, mais je n'ai pas habité vraiment mon corps. » Un corps que le destin allait briser sur une route des pays de Loire, où les prairies ressemblent à des poèmes et où le ciel est un grand roman. D'un autre voyant, Jorge Luis Borges, ces mots prémonitoires, dans *L'Autre* : « Tu deviendras aveugle, mais ne crains rien, c'est comme la longue fin d'un très beau soir d'été. »

Une fois encore, une fois de plus, je pense à mon père, né à Paris quatre ans après Jacques Lusseyran, passé lui aussi par la khâgne de Louis-le-Grand, fou de littérature, amoureux de la langue du XVIIIe, éditeur accompli, mais écrivain empêché, dont la mort accidentelle en pleine nature, au printemps de 1973, à l'âge de quarante-cinq ans, dessine une ligne droite que je n'aurai jamais fini de vouloir prolonger dans des livres brefs peuplés de jeunes morts qui continuent de vivre, de lire, et d'écrire.

3

Sous les draps de tôle froissée, on trouva une fine chemise, qui contenait une poignée de feuilles de papier dactylographiées. C'était le dernier texte de Jacques Lusseyran, qu'il avait fini de rédiger la veille. Il s'intitule *Contre la pollution du moi*. Tandis que Marie conduisait, bercé par le grondement du moteur, il l'apprenait par cœur et se le mettait en bouche. Il devait en effet le prononcer lors d'un forum de théosophes qui se tiendrait quelques jours plus tard à Zurich, après quoi il irait à Bâle revoir, sur la colline de Dornach, le Goetheanum, siège de l'Université libre de Science de l'esprit où son père, le disciple de Rudolf Steiner, l'avait emmené trente-cinq ans plus tôt, et où Dieu prenait chaque année ses quartiers d'été.

Avant de repartir pour Hawaï, le contemporain d'une « guerre inutile », celle du Vietnam, voulait dénoncer une « guerre civile », celle de la pollution. Il prenait la défense des Indiens Navahos, dont une centrale thermique menaçait l'existence paisible sur le plateau du Colorado, et appelait à la préservation des immenses forêts de l'Alaska, « ce poumon qui fait respirer le continent nord-américain », dont les promoteurs et les industriels avaient programmé la lente et inéluctable éradication. Il pensait que, pour sauver la terre, il faut s'insurger contre tous ceux qui travaillent à la détruire. Il voulait sauver l'homme et se battre contre ceux qui s'ingénient à l'humilier. Il s'inquiétait de la dégradation morale du monde et doutait même, lui le disciple des Lumières, de l'idée de progrès. L'aveugle stigmatisait les aveuglements de ses contemporains : le fanatisme, l'autoritarisme, la concurrence, la jalousie, la haine, la publicité, la vénalité, les drogues, les sondages, le surarmement, et l'ego, ô l'ego, cette baudruche trop gonflée, cette caricature grimaçante du moi. Le moi, le vrai moi, était, pour lui, la seule richesse de ceux qui n'ont rien, la seule lueur d'espoir des désespérés, la seule capable de remplir le vide de l'existence. Le moi, fragile comme une plante, comme un paysage vierge, chaque jour plus agressé, plus inquiété. « Il n'y aura bientôt plus un pouce de notre espace intérieur qui ne soit piétiné chaque jour. L'amour lui-même devient spectacle. » Même les artistes ont abdiqué. Même les écrivains, parmi lesquels les Nouveaux Romanciers et les dramaturges de l'absurde auxquels Jacques Lusseyran, familier de Beckett et de Ionesco, lecteur paniqué de *La Jalousie*, d'Alain Robbe-Grillet, reprochait de sacrifier leur idiosyncrasie aux lois scientifiques de l'objectivité et la spiritualité au matérialisme. De la même manière, ajoutait-il, le compositeur américain John Cage « construit des ensembles de sons dont aucun n'a été inventé, mais qui tous ont été empruntés à l'univers des bruits extérieurs ».

Dans ce texte bref, dont il ignorait que ce serait son ultime plaidoyer pour la joie et la colère de vivre, Jacques Lusseyran évoquait, une fois encore, son expérience concentrationnaire, et plus particulièrement l'épisode de la tonte, lors de son arrivée à Buchenwald, le 24 janvier 1944. Il avait alors entendu, autour de lui, des hommes sangloter. Alors qu'ils avaient consenti à ce qu'on leur retirât leurs vêtements et qu'on les désinfectât au xylol, ils n'avaient pas supporté qu'on enlevât leurs poils. Rasés, ils n'existaient plus. « Le 1er mars, ils étaient tous morts. Ils étaient morts (comment ne l'aurais-je pas compris ?) par défaut du moi, par arrêt du moi. »

Comme s'il s'agissait à la fois d'une proclamation testamentaire et d'une oraison funèbre,

Contre la pollution du moi fut lu, en français, à la tribune du congrès de Zurich, quelques jours après l'accident qui coûta la vie à son auteur. Et c'est Pierre Lusseyran, qui publia en 1972 et préfaça le dernier traité de son fils : « À travers les épreuves si particulières de sa vie, interrompue brutalement le 27 juillet 1971, Jacques Lusseyran a su garder une disposition d'âme innée où rayonnait la foi en l'homme, un amour débordant des êtres et des choses, l'espoir sans défaillance des bienfaits inhérents à la vie. La force incisive de ce petit texte lui confère une voix et une présence bien plus perceptibles que les bruits du dehors. »

4

Il ne reste pas grand-chose de la vie brève de Jacques Lusseyran. Deux ou trois livres qui ont échappé à l'usure du temps et à l'indifférence de nos contemporains. Beaucoup de manuscrits qui n'ont jamais paru, et sentent déjà le moisi. Quelques textes spirituels, toujours les mêmes, inscrits dans les manuels anthroposophiques des écoles Waldorf réparties sur plusieurs continents, où l'on enseigne avec autorité que « l'amour, la confiance et l'enthousiasme » doivent triompher de « l'ambition, la crainte et la compétition », et où l'on prétend doter les enfants « de la sérénité et des forces qui leur seront indispensables pour avancer dans un monde incertain ».

Il ne reste pas grand-chose de la vie brève de Jacques Lusseyran. Une trace invisible dans le Block 56 du camp d'extermination de Buchenwald, une tombe aux lettres usées dans le cimetière de Juvardeil. Même le lycée Louis-le-Grand a oublié ou négligé de donner son nom à une cour ou à une classe, n'a pas posé une plaque sur l'un de ses vieux murs blonds pour rappeler qu'ici, sous l'Occupation, un résistant aveugle de dix-sept ans fonda et dirigea un réseau d'adolescents, le mouvement des Volontaires de la Liberté.

Il ne reste pas grand-chose de la vie brève de Jacques Lusseyran, dont la philosophie et l'éthique reposent sur un principe élémentaire : c'est au-dedans que le regard exerce son vrai pouvoir, que le vaste monde se donne à voir et que vivent, en harmonie, se tenant par la main, les vivants et les morts. S'exercer à fermer les yeux est aussi important qu'apprendre à les ouvrir.

Je termine ce livre dans la lumière d'été d'un petit bout de Normandie dont les impressionnistes aimaient tant saisir, sur des reliefs indulgents et sous des ciels nomades, les couleurs changeantes. Devant moi se dresse le spectacle généreux, dont mon regard ne se lasse pas, des frondaisons bienveillantes, des champs de pommiers rangés au cordeau, des cerisiers assaillis par les oiseaux, des longues chevelures de saules, des pelouses rases où l'herbe est tiède, des prés bordés de lices blanches où se posent

des buses hautaines et derrière lesquelles coha-
bitent en indivis chevaux bais et vaches pie, de
l'horizon marin où le soleil se couche en rou-
geoyant comme un gros timide. Les paysages
sont mes souvenirs et mon avenir. Je m'y réfugie
et m'y confie. Sans eux, je tomberais comme
un arbre dont on aurait coupé les racines. Et je
ne sais pas écrire loin d'eux. Comme j'admire
la faculté qu'avait Jacques Lusseyran, en les
réinventant, en les dessinant et en les cultivant
au fond de son puits obscur, de composer sa
musique solaire, son plain-chant de plein jour.

J'ai appris à le connaître dans ses livres, qui
m'évoquent toujours les combinaisons formelles
et les variations chromatiques du kaléidoscope
– ce tube de miroirs réfléchissant la lumière extérieure où les verres concassés produisent de l'art
brut –, à me l'imaginer grâce aux rares témoignages de ses camarades de combat et de déportation, de ses élèves du monde entier, grâce aux
paroles de sa fille sur laquelle plane toujours son
ombre portée, mais pour le voir, je dis bien : le
voir, je dois baisser les paupières, tirer le rideau
sur mes paysages, m'installer dans une petite nuit
provisoire, et alors son visage s'éclaire, il parle, il
sourit, il paraît plus vivant que les vivants. Et le
plus étrange, voyez-vous ? est qu'il me regarde.

Remerciements

Je remercie Claire Lusseyran pour la manière si délicate dont elle a encouragé la rédaction de ce livre, pour les précieux documents qu'elle a bien voulu me prêter, et surtout pour sa fidélité exemplaire à la mémoire de son père.

1

« Je lis partout que vous avez écrit un livre *fraternel* sur Jacques Lusseyran. Je serais donc heureux de vous rencontrer. Car je suis son frère. » Pascal, son cadet de huit ans, m'invite à dîner chez lui, près du Champ-de-Mars. À la vérité, j'ignorais qu'il vécût encore. Il était resté, pour moi, l'enfant du fond de la barque, recroquevillé près de sa mère, sur la photo de 1936 où la famille traverse le lac d'Annecy avec, au premier plan, comme à la proue, un petit aveugle en prière et en chemise blanche. Aujourd'hui, Pascal est un bel homme de quatre-vingt-trois ans, qui partage sa vie entre Paris et Juvardeil. Il me parle de Jacques avec une affection que le temps n'a pas entamée et une admiration qu'il a accrue. Son frère est son héros. Il dit de lui qu'il était un « appelé », un « élu », dont il continue de partager les choix anthroposophiques et dont il répartit méthodiquement les traces dans son appartement. Des livres, des lettres, des tableaux et beaucoup de photos de la période américaine, lorsque Pascal, ancien polytechnicien, allait régulièrement, pour son travail, aux États-Unis, et qu'il y retrouvait son frère aîné.

Au-dessus de son bureau, le portrait d'une jeune femme brune et ravissante, dont un aveugle avait deviné la grâce à la fois sauvage et raffinée. C'est Toni, *alias* Marie, l'élève extatique du professeur de l'Université de Cleveland, la troisième et dernière compagne de Jacques Lusseyran, la conductrice du jour fatal de 1971 où la voiture fut leur tombeau. « Notre mère l'aimait beaucoup, elle était heureuse de savoir Jacques entre ses mains et rassurée qu'il se fût séparé de sa deuxième épouse, Jacqueline Hospitel », me confie Pascal. Germaine Lusseyran n'avait jamais rencontré Marie, mais elle pouvait l'imaginer grâce au portrait que son fils lui en avait fait dans des lettres lyriques et passionnelles, où il disait retrouver la lumière intérieure que sa précédente union avait fini par lentement éteindre. Et pour étayer ses propos, Pascal sort d'un tiroir une lettre écrite en mars 1966 par Germaine Lusseyran et adressée à « ma petite Marie » : « Je retrouve mon fils et en même temps la fille de mes rêves qui devient la femme de mon fils. Malgré tous les tourments qui sont les vôtres et les miens, je connaîtrai des jours heureux grâce à vous deux. » Elle juge aussi que Jacques a bien mérité ce bonheur, où il trouvera un nouvel épanouissement : « Sa vie de lutte sans merci s'achève, j'en suis sûre. »

Quelques semaines après ce dîner, je pars pour Nice, où *Le voyant* reçoit un prix littéraire et où, place Pierre-Gautier, sur le cours Saleya inondé de soleil, soudain un homme vient me serrer chaleureusement la main. Il a le visage léonin de son père et, dans l'allure, une jeunesse dont son âge – soixante-neuf ans – semble s'amuser. Je fixe obstinément ses yeux, qui paraissent aller bien au-delà du visible et des mirages de la baie des Anges. Jean-Marc, le fils de Jacques Lusseyran et de Jacqueline Pardon, le frère aîné de Claire, me dit en souriant que, dans les boutiques où il signe des chèques, on lui demande désormais s'il a un lien de parenté avec « l'aveugle résistant ». Troublante vie des livres, dont c'est la plus précieuse des récompenses, qui offrent à l'auteur de voir surgir en chair et en os, rayonnants de vérité, des personnages de papier et font revenir parmi nous, plus vivants et fervents que jamais, des disparus qu'on croyait oubliés.

2

La preuve avec la lettre qui m'est adressée, le 5 novembre 2015, « sous couvert des Éditions Gallimard ». Son auteur, Jacques Bloch, a inscrit sous sa signature un numéro de matricule : 85 235, précédé des initiales K.L.B., pour

Konzentration Lagen Buchenwald. Il m'écrit avoir lu *Le voyant* « avec émotion », car il a eu « l'inestimable privilège d'avoir beaucoup fréquenté Jacques Lusseyran dans le Block des invalides et d'avoir été parmi les meilleurs amis de ce garçon tout à fait exceptionnel ». Il me propose de venir lui rendre visite, dans son appartement parisien, situé près de la place d'Alésia, afin d'évoquer « ce déjà vieux temps ».

Quelques jours plus tard, l'homme qui m'accueille chez lui me tend sa main gauche. La droite, recouverte d'un gant de vieux cuir, est une prothèse. Jacques Bloch est étonnamment vif, volubile, vibrant, véhément. Il a quatre-vingt-onze ans. L'âge qu'aurait Jacques Lusseyran dont, né le 7 juillet 1924, il est l'aîné de deux mois et douze jours. Assis à une table sur laquelle reposent, dédicacés, annotés, fatigués par d'innombrables relectures, les livres de son contemporain disparu, Jacques Bloch me raconte longuement son histoire. Il est le fils d'un ancien combattant de 14-18 fait prisonnier en 1940, qui enseignait la philosophie dans la khâgne du lycée Lakanal de Sceaux et fut révoqué par le régime de Vichy au seul prétexte qu'il était juif. La famille se réfugia en Touraine avant de gagner la Creuse, en zone libre, où elle fut accueillie, dans sa maison du Bourg-d'Hem, par un cousin, Marc Bloch. C'est lui, le grand historien et fondateur des *Annales*, qui, un an avant d'être torturé par la Gestapo et fusillé par la Milice, initia son jeune parent à la Résistance. À la fin de 1943, sous le nom de Binet, Jacques Bloch rejoignit le maquis autour de Bourganeuf avec pour mission d'aider aux parachutages alliés. Il n'avait pas encore vingt ans lorsque, le 7 juin 1944, il participa à l'attaque de la Feldgendarmerie de Guéret. Au cours des combats, il eut le bras droit déchiqueté par les rafales d'une mitraillette allemande. Transporté pour y être amputé à l'hôpital de Guéret, dénoncé aussitôt par un milicien, arrêté par un officier de l'horrifique division SS Das Reich, qui remontait vers la Normandie où les Alliés venaient de débarquer, questionné et supplicié par la Gestapo à Montluçon, où il ne parla pas, Jacques Bloch, à qui les papiers d'identité au nom de Jacques Binet sauvèrent la vie, fut alors déporté à Buchenwald, via Moulins et Belfort, le 9 septembre 1944, et jeté dans le Block des invalides.

Il n'a jamais oublié sa première rencontre avec Jacques Lusseyran. « Dans ce mouroir, dans cet abattoir, nous étions les deux seuls jeunes. Cela nous a d'instinct rapprochés. Nous étions comme deux frères jumeaux. Il me demanda d'où je venais. À peine lui eus-je parlé de Paris et de la Touraine qu'il me décrivit, en prenant son temps, sans oublier un détail, les lumières des bords de Seine, les couleurs des paysages de la Loire, la blancheur des châteaux en tuffeau, les arbres des forêts autour d'Azay-le-Rideau. Il ne voyait pas, mais il était plein d'images. À Buchenwald, Jacques était vraiment différent. C'était une force de la nature. Il semblait ne pas

souffrir des conditions abominables dans lesquelles nous vivions, avec notamment un seul
robinet d'eau pour deux mille prisonniers. Et
surtout, il croyait dur comme fer qu'on s'en sortirait et gardait, chevillé au corps, un optimisme
sidérant. Son autorité morale impressionnait
tous les déportés, y compris les plus âgés. »

Revenus à Paris, les deux Jacques continuèrent
de se voir et de fraterniser. Après le départ de
Lusseyran pour les États-Unis, Bloch fut admi-
nistrateur au Sénat et œuvra pour l'abrogation
de la loi qui avait si longtemps brisé les rêves
pédagogiques des sans-yeux et des sans-bras. Ce
fut sa manière, après la guerre, de continuer à
faire de la résistance.

3

En même temps que *Le voyant* a paru *Et tu
n'es pas revenu*, où la cinéaste Marceline Loridan-
Ivens, quatre-vingt-six ans, confie à Judith
Perrignon le récit de sa déportation à Auschwitz.
« Nous étions une bande, dit-elle de ses camarades, unies face à la souffrance. Jamais je ne me
suis sentie autant aimée que là-bas. » Une phrase
qui fait écho à la lettre envoyée par Jacques,
depuis Buchenwald, à ses parents : « J'ai appris
ici à aimer la vie », et dont la force tranquille
demeure pour moi une énigme.

Écrire, c'est aussi poser des questions impré-
cises à des lecteurs dont on ne sait rien avec
l'espoir qu'ils nous donneront des réponses
qu'on n'osait espérer. Sur ce point, j'ai été gâté.
De France et des États-Unis me sont parvenus
des témoignages qui, mis bout à bout, consti-
tueraient une irréfutable biographie de Jacques
Lusseyran, auquel j'avais simplement voulu
consacrer un exercice d'admiration. Il me semblait en effet plus urgent de le réhabiliter que de
dresser son curriculum vitae. Le temps est venu
de préciser ce qui ne l'était pas.

J'ai ainsi appris, grâce à l'historienne Zina
Weygand, auteur d'une thèse sur *Les aveugles
dans la société française*, inlassable propagatrice
de la pensée et de l'œuvre de Jacques Lusseyran,
qu'il n'était pas « le », mais un parmi les cent
trente-deux aveugles de la Résistance française,
soldats de l'armée des ombres qui ont combattu
le nazisme et dont les noms ont été gravés sur une
plaque dévoilée, en avril 2015, à la Fédération
des aveugles et handicapés visuels de France.
Tous, ignorant ou bravant leur handicap, ont
participé à des actions de sabotage contre les
forces d'occupation, distribué des journaux clandestins, transporté des armes, caché des Juifs,
intercepté des communications téléphoniques
ou fabriqué de faux papiers. Parmi eux, certains
furent déportés et d'autres, fusillés.

J'ai appris que le fameux décret de 1942
« relatif aux conditions physiologiques requises
des candidats à un emploi de l'enseignement
secondaire », interdisant notamment au khâgneux aveugle de prétendre à un poste de professeur, ne fut pas abrogé, comme je l'avais
écrit, en 1955, mais plus de quinze ans après
la Libération, le 20 juillet 1959 (un arrêté du
27 juillet définissait d'ailleurs les seules disciplines dans lesquelles les candidats non voyants
étaient autorisés à concourir : la philosophie,
les lettres, les langues vivantes et la musique,
mais pas les mathématiques, l'histoire ou la géographie). Quant au décret vichyssois, il n'était
pas seulement signé Abel Bonnard, académicien français et ministre de l'Éducation nationale dont le collaborationnisme exacerbé lui
avait valu le surnom d'« Abetz Bonnard », mais
aussi Pierre Cathala, ministre des Finances, et
Raymond Grasset, secrétaire d'État, peut-on
l'imaginer ?, à la Santé.

J'ai appris – un détail de la plus haute importance – que Jacques n'avait pas seulement jugé
« suspectes », en avril 1943, la voix et la main
d'Elio Marongin, le traître qui allait faire tomber
Défense de la France. Il s'était aussi prononcé
clairement contre le recrutement de cet étudiant
en médecine aux manières ambiguës, au main-
tien sournois et à la témérité douteuse. C'est
Philippe Viannay, le chef du réseau, qui avait
passé outre aux objurgations, aux objections
et au sixième sens, pourtant infaillible, de son

cadet, et s'était porté garant de Marongin, dont il était un parent éloigné. Seul le voyant, ce jour-là, avait vu juste.

J'ai appris que la France libérée n'avait pas été aussi ingrate que je le pensais à l'égard du jeune Volontaire de la liberté, du rescapé d'un camp de la mort. Si elle ne lui avait pas accordé de pension, elle lui avait remis, en 1946, la Légion d'honneur et la croix de guerre avec palme, et, en 1947, la médaille de la Résistance. Elle l'avait donc *honoré*. Mais que n'a-t-elle poussé la gratitude jusqu'à lui permettre d'enseigner et l'empêcher ainsi d'aller exercer son art et déverser sa science de l'autre côté de l'Océan ?

J'ai appris que, le 27 juillet 1971, jour de leur mort accidentelle, Jacques Lusseyran et sa femme Marie, en route pour Nantes, avaient fait une halte, une dernière halte, dans la maison de campagne du peintre Jean Hélion, l'admirable portraitiste de celui qu'il représentait la tête baissée afin de montrer, plutôt que les yeux, le haut et large front de prieur. Sa veuve, Jacqueline Hélion, se souvient qu'après le déjeuner ils avaient raccompagné jusqu'à la grille le couple auquel, sans le savoir, ils disaient adieu. Marie avait pris le volant, Jacques avait mis tendrement sa main gauche derrière la nuque de son aimée et tendu la droite dans le joli vent d'été. « Il faisait beau, m'écrit-elle. Je les vois encore dans cette voiture découverte nous saluant jusqu'au détour de la route. À l'époque, les casques et ceintures de sécurité n'étaient pas de rigueur. Je me suis

souvent demandé si Jacques Lusseyran ne dissi-
mulait pas, au fond de lui, un penchant pour ce
que les Américains appellent *brinkmanship*, c'est-
à-dire un attrait pour le bord des précipices. »
Quelques instants plus tard, la voiture se retour-
nait dans un affreux bruit de ferraille concassée.
Mais, sur les beaux tableaux de Jean Hélion, il
ne vieillirait pas, il rajeunirait même.

Et j'ai appris que, avant de quitter ses fonctions en 2014, un ancien adjoint au maire
Bertrand Delanoë, Hamou Bouakkaz, aveugle
de naissance, avait obtenu que fût votée, par
le Conseil de Paris, la décision d'apposer enfin
une plaque sur l'immeuble du 88, boulevard de
Port-Royal, où Jacques Lusseyran avait vécu et
où il avait été arrêté par la Gestapo.

5

Je fais, dans mon récit, le portrait d'un professeur très doué qui devient charismatique
aux États-Unis, où il reçut en 1966 le prix
Carl-Wittke du meilleur enseignant d'université. Mais je ne mesurais pas combien ce pays
continuait de vouer une manière de culte à cet
homme libre, à cet homme-livre. D'anciens
élèves m'ont écrit pour continuer d'exprimer
leur gratitude à l'humaniste qui avait induit ou
changé leur jeune vie. Betty Evans Mills n'a
ainsi jamais oublié l'été de 1964 lorsqu'elle alla
écouter tous les jours, à Middlebury College,

section française, les leçons de ce professeur que la réputation avait précédé : « Amené sur la scène du petit théâtre par sa femme Jacqueline, me raconte-t-elle dans une lettre à laquelle est jointe une photographie de Lusseyran entouré de ses élèves et de sa fille Claire, venue là pour les vacances, on aurait dit qu'il avait appris par cœur chaque pièce de son cours consacré au "Théâtre français, 1920-1980", car il n'avait sur lui aucun papier en braille. Jacques Lusseyran semblait avoir vécu *En attendant Godot*. Peut-être aurait-il pu l'écrire mieux que Beckett ! À la fin, les étudiants se mettaient debout pour l'applaudir pendant plusieurs minutes, et puis Jacqueline venait le chercher pour le conduire dehors par le fond du théâtre. » Tous décrivent ce que l'écrivain Jean-Marie Domenach avait confié, six ans avant sa mort, en 1997, à Zina Weygand : « Il montait à la tribune, guidé par sa femme, et faisait les plus beaux cours que j'aie jamais entendus sur la littérature – notamment sur Proust. C'était extraordinaire, avec une voix qui portait loin, une vigueur, une éloquence, mais sans emphase. »

Cette voix, je ne la connaissais pas, je n'avais pu que l'imaginer ou plutôt la rêver. Grâce au *Voyant*, elle m'a enfin été rendue. Invité successivement à la Radio Suisse Romande puis sur Radio Canada, dont les producteurs avaient préalablement écumé les archives sonores, j'eus la surprise d'y entendre deux interviews que Jacques Lusseyran avait accordées à ces radios francophones, l'une en 1953, l'autre dix ans plus tard. Je compris alors comment et pourquoi cet homme sans regard avait pu subjuguer ses élèves. (Michel Déon, qui le rencontra dans les bureaux des Éditions de La Table Ronde lors de la parution de *Et la lumière fut*, se rappelle avoir été intimidé par Lusseyran : « Il me paralysait, m'écrit-il, malgré sa grâce et son intelligence tranquille. ») Car sa voix n'était pas seulement belle, profonde, mélodieuse, et rendue plus cuivrée encore par la nicotine, elle avait surtout l'impressionnante tranquillité d'une terre labourée qui, après le passage de l'orage, se réchauffe et s'affermit au soleil. Elle aussi avait résisté.

Dans le premier entretien, réalisé à l'occasion de la publication, en France, de *Et la lumière fut*, Jacques a vingt-neuf ans. C'est un tout jeune homme, mais qui en paraît trente de plus. Il ne hausse pas le ton. Il n'exhibe pas ses plaies. Il n'a pas froid aux yeux. Il a toujours le mot « bonheur » au bord des lèvres. Il explique qu'il a fait la guerre en la haïssant, pour défendre les valeurs de la vie sans lesquelles rien ne peut se construire : « C'est au fond par une sorte de passion pacifique que je suis entré si tôt dans des activités que d'autres pourront juger violentes. » Il ne raconte ni l'enfer qu'il a traversé à Buchenwald ni la dépression dont, en rentrant à Paris, il a été soudain le siège. Il ne condamne même pas ses bourreaux. Il ne se vante pas de les avoir héroïquement combattus. Il dit juste que l'expérience concentrationnaire l'a fait mûrir, lui a enseigné à « vivre davantage ». Il est calme et confiant. À l'écouter considérer, avec une infinie douceur, la vue comme un « sens totalitaire, autocratique » et estimer que la « voix ne ment pas aussi aisément que nos gestes ou nos écrits », j'avais la chair de poule. Il me semblait, soixante ans après cet entretien, converser enfin avec lui. Il était là.

6

D'aucuns m'ont reproché ma sévérité à l'endroit de Georges Saint-Bonnet, mon scepticisme à propos de ses théories « unitistes » et de son enseignement emprunt d'un vague ésotérisme chrétien. Si je persiste à juger ses idées assez sommaires, je lui ai toujours reconnu trois vertus : avoir sorti Jacques Lusseyran de la détresse où il se trouvait après le traumatisme concentrationnaire, l'avoir persuadé de se libérer par l'écriture, et s'être ingénié à obtenir la publication de *Et la lumière fut*.

Or, parmi toutes celles que j'ai reçues sur ce personnage sibyllin, une lettre m'incite, sinon à réviser mon opinion, du moins à l'amender. Veuve d'un grand résistant qui appartenait à un réseau franco-anglais et était « un grand ami » de Jacques Lusseyran, Mme Brigitte S. a rencontré le « maître de joie » lorsqu'elle avait vingt-deux ans. Elle affirme que, oui, « il pouvait guérir » et lui en est « éternellement reconnaissante ».

« Je peux comprendre, m'écrit-elle, que la personnalité de Saint-Bonnet dérange et qu'il soit difficile d'en saisir toute la dimension. Maître à penser et homme libre, il invite à appréhender la vie dans son ensemble. Mais cela implique d'oser sortir de la routine et de se remettre constamment en question. Par son rayonnement, il transmettait un peu de sa merveilleuse capacité à être heureux, de sa lucidité sur la condition humaine et de sa débordante humanité. Son seul souci ? Partager avec ceux qui le désiraient sa vaste et fabuleuse expérience de la vie. Comme le propre de la spiritualité est de ne rien imposer à personne, de respecter la liberté de chacun, Saint-Bonnet, avec une grande sagesse, donnait à la mesure de la demande. L'un de ses nombreux conseils : "N'acceptez jamais rien que vous n'ayiez d'abord expérimenté par vous-même et reconnu pour vrai." Minuscule aperçu de ce qui a pu séduire Jacques Lusseyran, Jacqueline Pardon, Jean Hélion, tant d'autres, moi-même et mon mari Pierre S., homme épris de liberté. »

En somme, devant Georges Saint-Bonnet, Lusseyran n'aurait pas perdu sa faculté de discernement, il aurait au contraire fait « la plus extraordinaire rencontre de sa vie ». On comprendra que, par honnêteté, je veuille aujourd'hui verser cette pièce au dossier. Elle témoigne du pouvoir que, un demi-siècle après sa disparition, le guérisseur féru d'occultisme continue d'avoir sur ceux qui ont été ses disciples et croient encore à son ascendant.

7

Un an avant sa mort, la grande helléniste Jacqueline de Romilly, dont les yeux bleu égéen étaient voilés par la fatigue des jours, ne voyait presque plus. Avec une grosse loupe, elle tentait, en vain, de sauver quelques mots des livres qu'elle avait tant aimés, et dont ne lui restait plus que l'inoubliable et invisible musique du style. Seuls lui parvenaient encore, puissants, intacts comme au printemps de la vie, les parfums boisés et musqués de son jardin d'Aix-en-Provence, après la pluie qui les avait révélés. À quatre-vingt-seize ans, elle était une prodigieuse intelligence empêchée, qu'abandonnaient peu à peu les sens primordiaux, mais à qui la longue fréquentation des philosophes de la Grèce antique conférait une enviable sagesse, un troublant fatalisme. Elle prétendait en effet pouvoir s'offrir tout ce qu'elle s'était refusée lorsque, autrefois, elle travaillait, écrivait, traduisait, enseignait, colloquait, voyageait : le droit de rêver, le plaisir de la disponibilité, l'art de guetter l'imprévu et de s'y abandonner, le souci de soi, aussi. Elle tenait cette abdication du corps et cette démission des yeux pour un privilège du grand âge. Elle prenait enfin le temps d'accueillir ce qu'auparavant elle avait négligé.

À la veille de s'éteindre, en décembre 2010, elle avait dicté un ultime livre, *Les révélations de la mémoire*. Je viens de le relire pour y trouver ce que, à ma première lecture, je n'avais pas saisi : l'éblouissante parenté entre l'académicienne devenue mal voyante sur le tard et le jeune aveugle dont elle était l'aînée de dix ans. À la manière du professeur de l'Université de Cleveland, la titulaire de la chaire de la Grèce antique au Collège de France ne souffrait pas de ne plus voir le monde périssable. Vivre auprès de Thucydide, d'Eschyle, d'Aristote ou d'Euripide la dédommageait avantageusement d'une réalité tyrannique et mensongère que, de son côté, Jacques Lusseyran avait fuie très tôt en compagnie de Montaigne, Goethe, Baudelaire, Nerval, qui furent ses éclaireurs. Et, comme son cadet anthroposophe, elle tenait qu'il faut passer par l'obscurité pour que soudain l'invisible s'éclaire. Convertie en même temps à la cécité et au catholicisme, Jacqueline de Romilly, depuis sa caverne platonicienne, aspirait désormais à cet « univers de clarté et de vérité » dont, euphorique et sereine, elle ne doutait plus : « Il y a autre chose ! »

En attendant l'heure du grand voyage, l'ambassadrice de l'hellénisme s'était consacrée à rassembler ses souvenirs. Car eux seuls, écrivait-elle dans *Les révélations de la mémoire*, sont lumineux. Ils surgissent telles des lucioles et illuminent la nuit. Alors que le présent s'enfonce dans la brume, le passé est une couleur vive. Pour Jacques, c'étaient les vastes futaies de Juvardeil, le bassin moussu du Luxembourg, le violon déchirant de Yehudi Menuhin à Pleyel ou la solide épaule de Jean Besniée sur les chemins escarpés du Haut-Vivarais ; pour Jacqueline, c'étaient une réunion de savants sur une place de Tolède, la douceur de la fourrure maternelle parfumée au *Shalimar* de Guerlain, la caresse de l'eau dans la grotte bleue de Capri ou *La Belle Hélène* d'Offenbach, chantée par de grands bourgeois sous les lustres d'un salon parisien. Et pour eux deux, ensemble, c'était aussi l'odeur d'encre et de vieux bois de la khâgne du lycée Louis-le-Grand, où ils se succédèrent à quelques années d'intervalle, un merveilleux parfum d'humanités bientôt recouvert par l'insupportable remugle du régime de Vichy, qui allait leur interdire d'enseigner, lui parce qu'il était aveugle, elle parce qu'elle était juive.

8

« Tous les pays qui n'ont plus de légendes, écrivait Patrice de La Tour du Pin, sont condamnés à mourir de froid. » Il me semble que la France frigorifiée, toujours si lente à accepter de s'aimer, souvent inquiète à la perspective de se brûler, commence enfin à se réchauffer à la flamme de Jacques Lusseyran dont la lumière, comme chez Georges de La Tour, éclaire nos visages, nos consciences et peut-être même nos âmes. Il me semble également que la France, traumatisée par les attentats qui l'ont frappée en janvier et en novembre 2015, ensanglantée par une guerre aveugle menée contre le pays des Lumières par des djihadistes, a trouvé, en la personne de Jacques Lusseyran, un allié substantiel, un frère d'armes, un modèle de résistance à la barbarie et à l'obscurantisme. Avec ce Volontaire de la liberté, le monde commence aujourd'hui.

Décembre 2015

DU MÊME AUTEUR

Romans

C'ÉTAIT TOUS LES JOURS TEMPÊTE, *Gallimard*, 2001.
Prix Maurice Genevoix (Folio n° 3737).

LES SŒURS DE PRAGUE, *Gallimard*, 2007 (Folio n° 4706).

L'ÉCUYER MIROBOLANT, *Gallimard*, 2010. Prix Pégase Cadre
noir (Folio n° 5319).

BLEUS HORIZONS, *Gallimard*, 2013. Prix François Mauriac,
prix Jean Carrière, Grand Prix de l'Académie nationale de Bordeaux
(Folio n° 5805).

Récits

LA CHUTE DE CHEVAL, *Gallimard*, 1998. Prix Roger Nimier
(Folio n° 3335, *édition augmentée*; La Bibliothèque Gallimard n° 145,
présentation et dossier de Geneviève Winter).

BARBARA, CLAIRE DE NUIT, *La Martinière*, 1999 (Folio n° 3653,
édition augmentée).

THÉÂTRE INTIME, *Gallimard*, 2003. Prix Essai France Télévisions (Folio n° 4028, *édition augmentée*).

BARTABAS, ROMAN, *Gallimard*, 2004. Prix Jean Freustié (Folio
n° 4371, *édition augmentée*).

SON EXCELLENCE, MONSIEUR MON AMI, *Gallimard*,
2008. Prix Prince Pierre de Monaco, prix Duménil (Folio n° 4944,
édition augmentée).

OLIVIER, *Gallimard*, 2011. Prix Marie-Claire (Folio n° 5445, *édition
augmentée*).

Essais

POUR JEAN PRÉVOST, *Gallimard*, 1994. Prix Médicis essai;
Grand Prix de l'essai de la Société des gens de lettres (Folio
n° 3257).

LITTÉRATURE VAGABONDE, *Flammarion*, 1995 (Pocket
n° 10533, *édition augmentée*).

PERSPECTIVES CAVALIÈRES, *Gallimard*, 2003. Prix Pégase de la Fédération française d'équitation (Folio nº 3822).

LES LIVRES ONT UN VISAGE, *Mercure de France*, 2009 (Folio nº 5134, *édition augmentée*).

GALOPS. Perspectives cavalières II, *Gallimard*, 2013 (« inédit » Folio nº 5622).

LE VOYANT, *Gallimard*, 2015. Prix littéraire de la Ville de Caen, prix Nice Baie des Anges, prix Relay des Voyageurs lecteurs, prix d'une vie – *Le Parisien Magazine* 2015 (Folio nº 6115, *édition augmentée*).

NOS DIMANCHES SOIRS, *Grasset*, 2015.

Journal

CAVALIER SEUL, *Gallimard*, 2006 (Folio nº 4500, *édition augmentée*).

Correspondance

FRATERNITÉ SECRÈTE, CORRESPONDANCE JACQUES CHESSEX-JÉRÔME GARCIN, *Grasset*, 2012.

Dialogues

ENTRETIENS AVEC JACQUES CHESSEX, *La Différence*, 1979.

SI J'OSE DIRE, ENTRETIENS AVEC PASCAL LAINÉ, *Mercure de France*, 1982.

L'ÉCOLE BUISSONNIÈRE, ENTRETIENS AVEC ANDRÉ DHÔTEL, *Pierre Horay*, 1983.

DE MONTMARTRE À MONTPARNASSE, ENTRETIENS AVEC GEORGES CHARENSOL, *François Bourin*, 1990.

Direction d'ouvrages

DICTIONNAIRE DE LA LITTÉRATURE FRANÇAISE CONTEMPORAINE, *François Bourin*, 1988. Édition augmentée : DICTIONNAIRE DES ÉCRIVAINS CONTEMPORAINS

DE LANGUE FRANÇAISE PAR EUX-MÊMES, *Fayard/ Mille et une nuits*, 2004.

LE MASQUE ET LA PLUME, avec Daniel Garcia, *Les Arènes*, 2005. Prix du Comité d'Histoire de la Radiodiffusion (10-18 nº 3859).

NOUVELLES MYTHOLOGIES, *Le Seuil*, 2007 (Points-Essais, nº 661).

Composition CMB/PCA
Achevé d'imprimer par Novoprint,
à Barcelone, le 8 mars 2016
Dépôt légal : mars 2016

ISBN: 978-2-07-046890-4/Imprimé en Espagne.

295294